國家古籍整理出版專項經費資助項目

栖芬室

栖芬室藏中醫典籍精選·第三輯

祝茹穹先生醫印醫驗　女醫雜言

【清】趙巘　編／【明】談允賢　著
中國中醫科學院中醫藥信息研究所組織編纂
牛亞華◎主編　孟慶雲／孟慶雲◎提要

北京科學技術出版社

栖：江湖芳草蔽六席

萬衆月顧責莫可為人主

浮雲徒唯七清芬僧子栖止宿

為余久范身行消一自拙栖芬室

招商也矣以書志營建六平開設

學天書博宿典籍以供甄采其於值

君之寓廬遂蔵積書必教寫惟說工

定廣上司藏家下遠辨祥建遠民以故

為寸堂之記俟舍者勤摭播遺要旨

不以為黑乃楊嗚寫齋曰栖芬

室無句始為紀寶也永嘉八

英丰芝學脘蟄故喬此頡其賢

穀吉以貽业事庚冬楮偶彝記

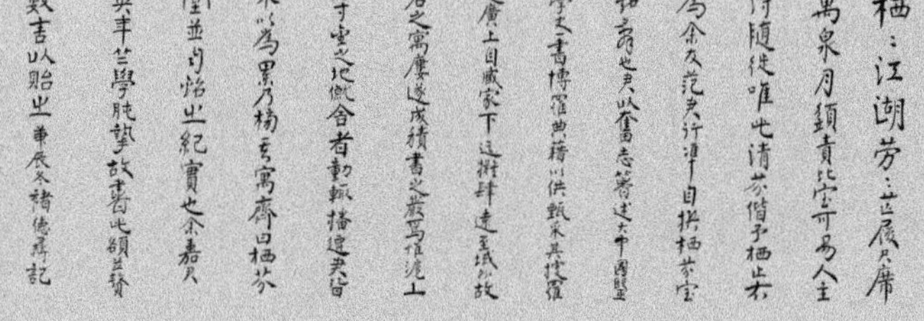

圖書在版編目（CIP）數據

栖芬室藏中醫典籍精選・第三輯. 祝茹穹先生醫印醫驗　女醫雜言/牛亞華主編. —北京：北京科學技術出版社，2018.1

ISBN 978－7－5304－9250－5

Ⅰ. ①栖…　Ⅱ. ①牛…　Ⅲ. ①中國醫藥學—古籍—匯編②醫案—匯編—中國—清代③中醫婦産科學—中國—明代　Ⅳ. ①R2-52②R249.49③R271

中國版本圖書館CIP數據核字（2017）第213661號

栖芬室藏中醫典籍精選・第三輯. 祝茹穹先生醫印醫驗　女醫雜言

主　　編：牛亞華

策劃編輯：章　健　侍　偉　白世敬

責任編輯：董桂紅　周　珊

責任印製：張　良

出 版 人：曾慶宇

出版發行：北京科學技術出版社

社　　址：北京西直門南大街16號

郵政編碼：100035

電話傳真：0086-10-66135495（總編室）

0086-10-66113227（發行部）　0086-10-66161952（發行部傳真）

電子信箱：bjkj@bjkjpress.com

網　　址：www.bkydw.cn

經　　銷：新華書店

印　　刷：虎彩印藝股份有限公司

開　　本：787mm×1092mm　1/16

字　　數：266千字

印　　張：22.75

版　　次：2018年1月第1版

印　　次：2018年1月第1次印刷

ISBN 978－7－5304－9250－5/R・2418

定　　價：**600.00元**

《栖芬室藏中醫典籍精選》編纂委員會

前　言

范行準先生是中國醫史文獻研究的開拓者之一，其成就之巨大，至今難以逾越；他也是著名藏書家，其栖芬室以收藏中醫古籍聞名於世。與一般藏書家不同的是，范行準先生搜求醫籍的初衷并非只爲藏書，而是爲開展醫史研究收集資料，因此，他的藏書除注重醫籍的版本價值外，更重視文獻的稀缺性和學術性。他説：『予之購書，善本固所願求，但應用與希覯孤本，尤亟於善本也。』足見他對購求孤本和稀見本比善本更爲迫切。他的藏書不僅有元明善本，還有大量的孤本、稀見本、稿抄本，這更是其藏書的一大特色；他還特别注重圍繞某個專題進行搜集，如爲了研究中國免疫學史，他搜集了大量疫病、痘疹和牛痘接種的相關文獻；他在本草、成藥方、中西匯通醫書的收藏方面，亦有獨到之處。

長期以來，研究者一直期望將栖芬室藏中醫古籍珍本系統整理，影印出版。在國家古籍整理出版專項經費的資助下，我們已甄選栖芬室藏元明善本、稿抄本以及最具特色的『熟藥方』，并加以編輯整理，邀請專家撰寫提要，且分别於二〇一六和二〇一七年相繼影印出版了栖芬室藏中醫典籍精選第一輯和第二輯，受到學界歡迎。上述兩輯出版的著作，僅爲栖芬室藏書的一部分，除此之外尚有許多醫籍值得醫界研究和利用。此次我們又獲得了國家古籍整理出版專項經費的資助，選取了十餘種明清孤本、善本和有實用價值的醫籍影印出版，是爲栖芬室藏中醫典籍精選第三輯。

作爲『栖芬室藏中醫典籍精選』項目的收官之作，本輯在書目的選擇上尤難决斷，栖芬室所藏珍本甚多，内容廣泛，難免顧此失彼。我們希望所選書目既能兼顧臨床實用與文獻價值，又能體現栖芬室藏書的特色和范行準先生的藏書理念。

基於上述考慮，本輯入選書目大多臨床實用與文獻價值兼具。如醫略正誤概論是少見的針砭時弊的作品，該書十分注重常見病尤其是熱證的鑒別診斷，是關於熱證最全面的論著。女醫雜言是罕見的女性醫家的著作，也是較早的醫案著作，所記案例均爲女性病人，内容細緻入微。衆妙仙方是明代官吏馮時可在廣西爲官時，發現當地缺醫少藥，迷信巫術，爲改變這種狀況而作，收方切合實用。新編名方類證醫書大全、慈惠小編、脉微等均具有較高的臨床價值。

在版本和文獻價值方面，本輯所收有不少爲海内外孤本，如上述的醫略正誤概論、女醫雜言、慈惠小編及秘傳常山敬齋楊先生針灸全書等爲天壤間僅存之碩果，且其中一些還入選了國家珍貴古籍名録，其版本和文獻價值自不待言。有些入選醫書雖然現存不止一種版本，但也獨具特色。如衆妙仙方，現存三種版本，本次所選爲萬曆刊本，印刷年代雖在三種版本中最晚，但經比對發現，該版本與其他兩種版本有較大差异，應是其初刊本的翻刻本，反映了該書最初的狀態，對研究該書版本及修訂演進有重要價值。再如醫説，版本衆多，民國至今，我國已出版的影印本多達二十餘種，但是，這些影印本所據底本僅宋刊本、四庫全書本和顧定芳本三種。本次選用的張堯德刻本，經籍訪古志補遺評價其爲『依顧定芳本而改行款字數者，然比之顧本，仍能存宋本之舊』。該版本序、跋最全，存本亦少，對於考察醫説的版本源流以及校勘均有重要價值。

栖芬室藏書中，有不少和刻本中醫典籍，本次選編的熊宗立新編名方類證醫書大全爲這類書的代表，該書刊刻於日本大永八年（一五二八），是目前已知的日本翻刻的第一部中國醫籍，也是日本博多本的代表作，本身具有很高的版本價值。其底本是明成化三年（一四六七）熊氏種德堂刻本，翻刻本連原刻本的牌記都原樣照刻，而原刻本國内已無存。有學者曾將該翻刻本與日本藏明成化三年原刻本對比，認爲二者的版式、行款俱同，從該和刻本還可以窺見原刻本之面貌。該和刻本後有日本著名學者幻雲壽柱的校勘記，這是中日醫學交流的重要見證。

范行準先生因明季西洋傳入之醫學一書蜚聲學界，其藏書中亦不乏中西匯通著作，如徹賸八編·内鏡收載了一些西方傳入的解剖生理學知識，是現在所知最早的中西匯通醫書，國内僅兩家圖書館有藏，亦屬珍貴。近年來，該書引起學界關注，屢被引用，但對其系統的研究工作還有待開展。

栖芬室藏書中，還有一些醫學學術價值雖然不高，但却能據以了解醫學在市井平民間傳播方式的普及性書籍，繡像翻症即屬此類。關於該書，范行準先生曾在栖芬室架書目録按曰：『「翻症」之自來未聞，嘗殫思不得其解，頃重整書目，又觸及此書，忽悟「翻」乃「番」之借字，諸言霍亂由外番傳入，故亦稱「番痧」。而因患者嘔吐猝倒，北方稱爲翻倒，因有「翻症」之稱。』該書後附售賣各種成藥的名單，因而范行準先生『疑亦當時藥肆宣傳品』。書中用動物和人的形象表示疾病的症狀，如『烏鴉狗翻症』上方繪一鴉一狗，下方繪一跌倒地上、口吐穢物的病人。文字則書寫症狀、治法，形象生動。中國中醫古籍總目收載有該書的三種版本，最早爲同治年間刊本，本次影印者爲更早的咸豐元年文林堂刻本，爲中國中醫古籍總目所漏載。

在第一輯的前言中，我們已對范行準先生和栖芬室藏書做了介紹，但是在本項目即將完成之際，仍情不自禁感念先賢保存中醫古籍的豐功偉業。范行準先生出身貧寒農家，本是放牛娃，斷續讀過兩年小學，靠自學考入上海國醫學院，在師友接濟下才得以完成學業。寒門子弟，本應與藏書家的名號無緣。但是，范行準先生對醫史文獻研究産生了濃厚興趣，爲此他開始搜求醫籍，以供學術研究之用。抗日戰爭爆發後，珍貴圖書散落市井，他又『念典章之覆没，感文獻之無徵』，終日流連於書肆冷攤，節衣縮食，不惜典當借貸，購買醫籍，竟憑一己之力，使大量珍貴醫籍免遭兵燹之厄，存留至今，爲我們所用。

范行準先生是公認的藏書家，但他却不願以此自詡，他説：『有人曾經稱我爲藏書家，老實説我是不太喜歡這個詞的，我認爲「書」是供人閲覽和參考，而决不是讓人來觀賞的，否則無論多麽珍貴的書都會成爲一堆毫無價值的廢紙。』中國傳統的藏書家往往將自家藏書作爲案頭的清供與把玩件，不輕易示人，但范行準先生則視『書物爲天下公器』，在自己頭腦尚清醒之時，即將栖芬室藏中醫典籍悉數獻出。這些藏書不僅價值連城，而且耗費了他畢生心血，亦讓他在感情上難以割捨。他説：『這些書籍跟隨了我三十餘年，它們和我朝夕相處，是我的良師益友，我也把它們當作自己的孩子來愛護，現在讓我一下子離開它們，我心中自然是异常地難捨難分，但是在我有生之年能够看到我酷愛的書籍將爲整個社會、整個中醫事業做更大的貢獻時，我感到無限的幸福和光榮。』

『爲整個社會、整個中醫事業做更大的貢獻』是范行準先生生前的崇高願望，栖芬室藏中醫典籍精選的整理出版，正是以實際行動繼承范行準先生的遺志，以期爲發展中醫藥事業貢獻力量。

栖芬室藏中醫典籍精選總計三輯，它能够順利出版，有賴國家古籍整理出版專項經費的資助，中國中醫科學院中醫藥信息研究所領導和各位專家的支持，以及古籍研究室同事和北京科學技術出版社編輯的辛勤工作。在此一并致謝！

牛亞華

二〇一七年十一月九日於中國中醫科學院

目録

栖芬室藏中醫典籍精選·第三輯

祝茹穹先生醫印醫驗

提要　孟慶雲

内容提要

祝茹穹先生醫印醫驗，三卷，祝登元著，是范行準先生栖芬室藏中醫典籍精選第三輯之一。祝登元著書時曾命書名爲醫説，其徒趙嶷在注書時，又補充了自己和祝登元其他弟子門人記録的醫案，改名爲醫印。其門下弟子沈朝璧所撰序文又稱書名爲心醫集驗，時爲順治甲午年，即一六五四年。此爲本書之傳版。

祝登元，又名慶堂，字茹穹，號茹穹子，堂室名爲曠曠居。浙江龍游縣龍丘山（今浙江金華）人氏，生活在明末清初。龍游縣志有傳，稱他：『幼嗜學，弱冠爲諸生。崇禎十七年（一六四四）選貢。平生淡於仕進，又值世亂，乃閉户著書，思以澤今傳後。刻有鏡古編八十卷、心醫集六卷、入道終始四卷、功醫合刻十二卷、日用必需六卷、静功秘旨二卷、字學考十四卷。一時聲名藉甚。順治三年（一六四六），臺府交薦，授福建漳州府知府，兼署監軍漳泉道。有署閑詩稿六卷。未幾，解組歸田。嘗游京師，與金之俊、楊廷鑒、嚴我師諸人，咸有贈答。』他先修儒學而後爲道家，學貫天人，於天文、秘占、地理、詩文、書法、繪畫均有研究，且其著述皆爲上乘。他還以道家醫術和氣功功法稱奇。他治病療效卓著，活人不可見數。其門下弟子沈朝璧曰：『聞夫子之名者，共信爲醫之聖，而炙夫子之貌者，即知爲人之仙』，而本書的驗案中也有稱他爲『仙』『仙人』之語，可見病人對這位道家醫人的尊敬。他（自謂『茹穹子』）與弟子趙嶷（號『一蒼子』）皆以『子』爲號，論述中屢言『太上』，以此知他以身入道。沈朝壁的序文中所説他師從高人奇士無生子仙師學習仙境功，練静功四戒五静，六妙門，講求『一數二隨三止四觀五還六浄』，特别是其脉法，均體現了道家醫派的特點。其言中也有求禪『究天台法界』之語，不脱三教合一之絜。醫驗中有郎九搏、吴偉業、錢謙益等當時達官名人的記案，可知祝登元交友圈中上層人物不少。他醫術高超，得『祖師枕中秘訣』，且其道『至易至簡，亦神亦化；易簡爲神化，神化爲易簡』。他是明末清初達到上乘境界的高醫、高人。沈朝壁的序中説，他尚有四書講成、通鑒紀實、字畫廣匯等書未刊刻。

祝登元的醫書，總以『壽人之術』爲宗旨。本書三卷。卷一、卷二皆討論有關脉法的理論，卷一列十則，卷二列八則，共十八則，皆有標題。卷三首先闡述五臟之生克，繼而討論傷寒熱病，最後在『祝茹穹先生醫驗』標題下，甫記六十則醫案，先是有署記案人的驗案四十六則，又爲錢謙益記録從治過程，接受治療和被指導、被授丹訣練枕中之秘氣功的體會共三則，最後爲未署記案人的驗案十一則。三卷共臻爲醫理醫案之書。

『察脉獨真』是祝登元醫術的突出特長，全書三卷都有體現。卷一、卷二從不同角度討論脉診原理，有的與歷代注家認識不同，有的自有側重，有的將脉診效果放於卷三的記案之中。書的眉批認爲此書言『岐黄未發之秘』。第一則就以『胃氣一綫定部分用』爲標題，眉批説，係因『此切診最契緊處故以冠篇』。作者認爲應先識胃氣，是因爲『胃氣者三陰三陽之界中一綫是也』。按他的理論，胃氣表達了脉在三陰三陽經氣中的定位。這一論説，源於對黄帝内經四時脉（弦、鈎、毛、石脉或規、矩、權、衡脉）及五臟脉和三陰三陽六經的綜合。因此，他的胃氣既包含了天氣（四時）、經氣，又包含了左右手六經六部位的表達，特别是胃氣本身就有左右手六經部位的診視。這是高端的理论见解，爲其他醫著所未見。他據此把胃氣稱爲人體坤卦之母氣，并在第二則『胃氣合坤卦由本母氣』，把胃氣爲生命之母、厚德載物的價值闡釋盡致。他將脉象與易經之理結合，三指切脉，以胃氣分三，得之三陰三陽爲『六段』，又合於五運六氣，從司天，經四間氣至在泉之六氣，司天爲乾，在泉爲坤，四間氣爲四空，四空以胃氣中間一綫合爲五空。尺爲司天、南政；寸爲在泉、北政。六段之四空爲四間氣。因此，寸、關、尺之脉，合天干地支，盡合五運六氣及南北政之論。此説，以其精辟卓絶，排諸説之膚泛，振世之聾聵。他以胃氣爲坤卦，爲母氣，貫穿了易理三百八十四爻爲一爻的『渾然一中』的思想。切脉以胃氣爲本的原因及千年無定解的運氣南北政在此一則霍然而解。黄帝内經營衛諸篇論述不一，特别是『五十營』，歷代注家全無善解。在本書中，祝登元不僅使諸家之降解或曲解得到了提升或改正，而且將十二經氣與營血周身循環交會的道理闡述得十分清楚，不僅通合黄帝内經、难经的切脉理论，而且包含了十二經脉和季节脉，是對五臟六腑和四時脉的超越，這使五十營的論述在理論和邏輯上更具合理性。書中指出，營衛生會與五十營，是營衛相并而不是營衛相接，營衛相并於脉中、脉外，晝時陽氣隆，夜間陰氣盛。晝夜各二十五度，合爲五十度，是五十營。故五十營是指營衛并行五十度。會於寸口是指行於十二經中的氣，與行於營的血，會於寸口。書中又有氣口與人迎脉之價值的討論，又有『内經關格兩説其實爲一理』之論，及其與難經關格之比較。作者認爲『風爲百病之本，實爲生之本』，詳述了陰陽手足各五經的理論及淵源。卷二始於比較黄帝内經、難經三部九候，又在着重论述各種死脉的確據中，告知讀者諸繆刺法没有診斷意義。作者認爲『脉不滿五十動而一止爲腎氣先盡，故尺脉爲根』。卷中對各種兼脉進行分析，且對其與臟腑氣血辨證的價值見解獨到。作者認爲虚脉有『三就』『三避』的候脉法，同時提出了不同的治法。

對於五行生克及反生反克的見解，本書是以具體的用藥來闡述的，明達而實用。對於外感熱病，他的見解是，風寒與風熱『稍有分别，治法大同小异』。這種見識，與今日把傷寒與温病分屬兩類，并將其確定爲臨床上的兩門課程大异。對於五臟五行關係的運用，他提出了瀉子之法。對於四寒風熱之治，他在叶天士之前就提出了風寒宜辛温、甘温藥，風熱宜辛寒、甘寒藥；不可用重藥，因重藥發散太過，必会引起傳經絡或陷臟腑而損營衛的後果。若反其道，則會使寒熱愈鬱閉，而致飲食不化，病勢加重。爲防寒之鬱，他常用山楂、麥芽，非爲消食，而是爲了出傷寒裏證之結毒。對於風熱鬱閉，他用承氣湯。如酒後風邪所乘，他用葛花解酲湯。他認爲傷寒之發熱，是寒邪爲本的標證。冬傷於寒者爲正傷寒。春、夏、秋三時之熱病也是傷寒，但稱温稱暑（未言秋季寒熱之稱）。不合時者，治從證而不從時。總以合宜四時特徵之傷寒爲正傷寒，春温、夏熱、長夏大熱亦爲正傷寒，其實皆熱病。發熱之因是寒邪皆從火化。其對傷寒的演進，殊重傳經，并以脉證和經絡的關係論述傳經規律。傳經有循經傳（又稱正傳）和越經傳、表裏傳、間經傳。兩經三經齊病，不傳，爲合病。一經先病，未盡，又過一經，爲并病。多經合病爲兩感，特别是三陰三陽合病爲兩感之極證。又有循經得度傳者，太陽經傳厥陰經，此事難知認爲此是厥陰經與督脉相係，又與太陽經相接，厥陰主風，風引陽陷於陰之故。

可下或攻，用大承氣。對太陰不傳少陰經而傳厥陰經，以少陰經不受邪解釋其由。此書對六經病及傳經證皆出示相應證治方與藥，包括藥量及煎服法。明言兩感證極爲難治，實者可試用大羌活湯，虛者未出示治方。所選方多係仲景方，也間用金元醫家之名方。此雖幾則數千字語，但言簡意賅，暢曉至極，簡要肯綮，足以解疑竇，供實用。突破條文并援用黄帝内經是他治傷寒論的特點。

本書的六十則驗案是其弟子及親友所記，有的書有記案人姓名，如吴偉業、錢謙益、陳獻章等。有的未署記案名氏，此類多是弟子趙嶷所輯收。有的還在甫記之下以小字記載記案之地點，如有黄崗、高安、南昌、臨川、會昌、新喻、新淦、廬陵、婺源、休寧、星子、新城、豐城、武進、毗陵、湖西道、龍游、蘭江、宛平等。可知他倘徉山水及行醫之地遍布南北。其六十則驗案中，有察脉真準者，有投藥立效者，有急症甚至已入棺者，有外傷跌損者，有傷寒温熱者，有雜病者，也有婦科疑難及兒科病者等。書中很多醫案都是直書診治過程和治法治方，有的甚至詳細到用藥和劑量。醫案彰顯之學術特點誠如心醫集·自序所言，『其理有爲諸書所未明，其方又即衆書所具曉』，『故著功自异耳』。

縱觀此書，其在道家醫學、經絡與脉診理論、傷寒之學等方面多有卓優獨見之處。尤其是其脉理脉法揭示了道醫脉學的至高境界。另外，明末清初之際的錢謙益、吴偉業、陳獻章諸人的與醫事有關的活動，也在本書中留下了印記。

孟慶雲

序

天下之人生于道天亡人之性命死於心自甫出胎纔能食即思美味能聽即思美音能視即思美色其見美淑愛者處

處皆心即處處皆受心之害是故能見心者不順心能治心者不拂心順吾心勢必至恣耳目口體縱不病亦年壽從此損一有病即藥力無可施矣拂

吾以勢况至嚴毋如種楷棄慈如離毒債清淨自完而未能立群生之命達天地之和亦小乘也噫此

夫子之能自治其心又能治人之心心醫之所

由趨北　師駕所至吳郡之人病者麕集質又施藥以接貧苦每歲活人奇〻怪〻之症千萬經乎手手所有奇〻怪〻之方之驗千萬及乎人然則方安能

窮驗安盡紀，而有驗之最要，非復醫書之所有，何可不以其方與驗，俾天下後世共知之，以為善治心者之針石也。竊恐玄平仲景身通顯而未廣其行

三

藏器立齋身隱逸而猶阻于勢
孰若夫子之德其尊貴重以好遊
廣乎施與貧者咸被乎蓋天
下之人聞夫子之名者其信為
醫之聖而及夫子之貌者即知

為人之仙靜功四戒五進單關竅
接之訣淂諸　無生子仙師世之
高人奇士遊　夫子之門領訣而
直証先天者不可具數若夫高
年苦痰病開關而舊疾頓除

序

少年患遺忘開闢而智慧大豁富貴慮無子開闢而養育頓聞蓋粗之而其効已如此况精之乎雖然遂以此為知吾夫子乎夫子學貫天人靜坐之

餘即有著述如天文秘占地理確
義鏡古蕭冰暑集字學攷諸刋
久已行世其未刋者尚有四書
講成通鑑紀實字畫廣彙數
種區區心醫紀驗謂是見

序

夫子乎然夫子之心固已見矣度夫子之心使天下之心皆能見心皆能治心皆與聞大道斯則醫人醫國天地人之義括于此矣

昔

順治甲午年仲春望日

門下弟子沈朝壁撰

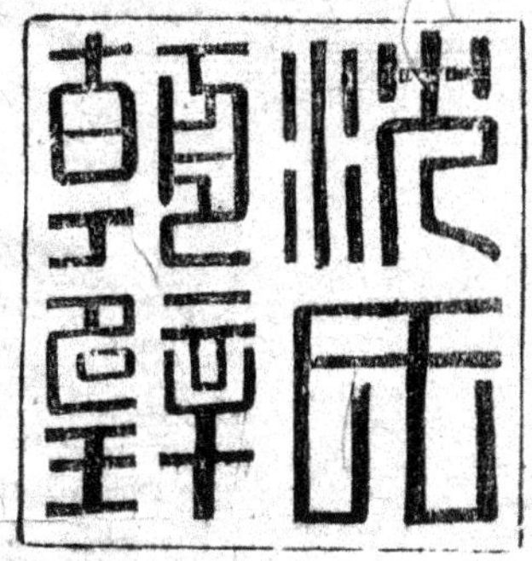

敘

龍丘祝子茹穹纂二千石如脫屣而尚羊乎山水之間其意不在山水也茹穹有壺翁

之祕游戲軒冕退而講壽人之術又退而浮家泛宅攬苕霅台宕之勝雖汝南市掾不得而有也一日渡錢唐歷虎

丘溯石帆海門而上將放乎
夏口而休焉迺邀之者方在
武功閣皂之間也茹穹曰諾
彼負局者何有乎為汝書下

祥水又多乎哉自是奉酒脯
着趾相錯矣會布帆過松門
止少宰氏余得從解后一通
公神光注射珊珊然一壺翁

也。居無何。酒後耳熱。爲余述天目諸遺事。輒不知其神王也。至彈劍太湖之濱。指點毘陵之墅。則又經生老輩溢户

牖窺噤舌橋駭汗而不能以已者余則曰不然以今世而有茹穹者使得始終于古壽人之術一編素問三折縣絲

將見霍然而起者不知其幾千萬計又安見茹穹之不即無生華卿而余之遇茹穹不即為遇無生與華卿也若夫

飄然御風與為利形實下之説又瞠乎後矣余方治軍旅將瞿瞿未勝岐黃家所按輒不中茹窮援我一劑纔刀圭

耳。而霍然起者。盖又汝南市掾。未必能得之壺翁。而余亦既得之矣。余益矣。時心醫靜功合刻成。為泐數言以弁其

首將以告世之為心病而不知有菊窮先生者

旹

順治丙申中秋七月朔日

欽命總督江南江西等處地方
軍務兼理糧餉兵部尚書
兼都察院右副都御史三
韓郎廷佐譔

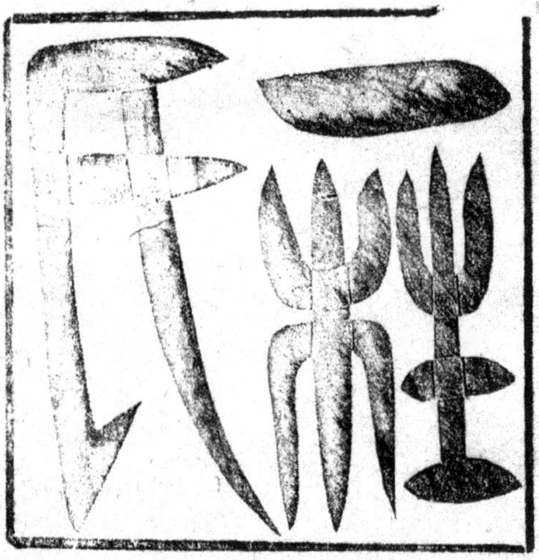

破黃未發之秘此切診最要緊處故以冠篇

祝茹穹先生醫印卷之一

廬陵弟子趙　嶷一蒼子記註

胃氣一線定部分用

人秉中和而生診脈要先識胃氣胃氣者三陰三陽之界中間一線是也內經數論四時之脈皆以胃氣爲本各狀四時之生脈以形容其中和中和既得謂之平脈反此則逆輕則病重則死其狀四時之生脈如春屬肝脈宜於弦春之胃氣從微弦邊去形容故曰耎軟弱招招迢如揭長竿末梢

夏屬心心脉宜微鈎夏之胃氣從微鈎邊去形容故曰累累如連珠如循琅玕秋屬肺肺宜微毛秋之胃氣從微毛邊去形容故曰厭厭聶聶如落楡筴冬屬腎腎宜微石冬之胃氣從微石邊去形容故曰喘喘累累按之而堅長夏屬脾脾脉宜微耎弱長夏之胃氣從微耎弱邊形容故曰和柔相離如雞踐地此言五臟之胃氣通表裏兩手各六經隨宜依時得平非如春單看肝夏單看心秋單看肺冬單看腎長夏單看土也一臟有病諸臟腑俱

法切之單挈要領則諸部不勞而得矣餘做此素問陰陽應象大論篇曰觀權衡規矩而知病所主非以此中間一線爲權衡規矩而動在近何部便知病所主乎本經脈要精微論云春應中規言陽氣柔軟如規之圓也夏應中矩言陽氣强盛如矩之方也秋應中衡言陰升陽降高下必平冬應中權言陽氣居下如權之重此則偶同權衡規矩四字耳而解者必兩處引證以爲喻春夏秋冬之陽氣何其泥而不通也

胃氣合坤卦由本母氣

胃氣之在中間一線者脈乃卦體也寸爲天關爲人尺爲地三部卽三才三才未分渾然乾體三畫

至於陰陽必判乾分爲坤則三畫自應間斷三畫間斷則中間有一線陰陽實從此生生不已妙用全在此處初平手按之渾渾緩緩似有似無爲平脈重按之實有一線不着兩傍所謂土中也三畫分六則左右手之上畔爲三陽左右手之下畔爲三陰天陽居上地陰居下也取胃氣者何也萬物資始於乾而資生於坤乾施而坤受一施之後生成之厚德皆坤之氣坤者萬物之母也驗之人身自父施而後其受胎皆母生成故人得母氣居多

以四空爲四間以中間直空總爲五空運氣中脈病脈俱在此

胃者土也其干爲戊其卦位爲先天之坤舉坤而乾在其中舉母氣而父氣在其中以坤本資生於乾而母本資生於父也以三指切六斷（六斷三陰三陽也）三指在上象乾六斷在下象坤又可以徵乾坤之交內經言五運六氣雖不言卦而卦顯然何也五運六氣有司天在泉左右四間每歲司天爲天在泉爲地四間隨司天在泉之推移以共化間者在卦體六斷之中四空處爲四間而中間一線則直上直下通乎天地即司天在泉也總爲五空五運

中至節至易

者金木水火土合十干甲巳合土乙庚合金丙辛合水丁壬合木戊癸合火是也六氣者風寒暑濕燥熱對十二支子與午對君火丑與未對濕土寅與申對相火卯與酉對燥金辰與戌對寒水巳與亥對風木是也運與氣參而迭主客大要不越乎五行而五行皆以土爲體用每歲司天在泉不論所屬總不宜大過不及而以中和爲貴則即以胃氣爲主之意運氣之脉準於尺寸之當應當不應以爲反順而不言關以關在尺寸之中而五空合

之尺寸之當應當不應無有不通於五空以五空中間之直上直下即司天在泉而兩旁之四空即左右四間也內經恐五空微之又微難候故即以尺寸候之遂置關不言即并胃氣不顯言以胃氣亦微之又微不若寄之六部不若候之尺寸然候尺寸固顯然而尚有南政北政司天在泉左右兩間之多端不如候中間一線一落指頃便知爲簡易之至理病根侵候而得之在此運氣之生尅盛衰亦在此五運六氣以生尅盛衰徵於臟腑經絡

骨節變化無窮而不外乎六斷中之五空以爲變化使無五空則渾然一片何以分析提摸此五運六氣雖不言卦而卦顯然卦不過一坤以坤乃母氣而胃之所以合坤者由此耳究竟斷者不斷有氣貫而相連如卦之三百八十四爻寔一爻此所謂渾然一中也

若斷則氣脈不聯矣

脈度三部尺部獨長徵胃氣母氣

三部以掌後高骨爲關之準關前爲寸抵魚際關後爲尺抵尺澤高骨不必言掌後已隆起於掌前

卬後尺脈爲根

魚際者掌之盡處尺澤者股之盡處寸止九分陽數也尺實一尺尺之中分寸不爽爲十分陰之數也秦越人所謂陰得尺中一寸陽得寸內九分是也素問脈要精微論曰上竟上者胷喉中事下竟下者少腹腰膝脛足中事自來釋者未明竟字之義便以寸之上候胷喉中事而以尺之下候少腹腰膝脛足中事矣殊不知寸之上自胷喉以達頂首是其上竟上不止胷喉中事但說胷喉中事者舉一隅也尺之下少腹腰膝脛足中事是其下竟

脈黃秘旨
經師說破

下○而下之未竟一尺之內豈盡候少腹腰膝脛足中事耶○令人不知魚際在掌盡處但於寸之上略移一分便以爲上竟上矣○其候尺澤愈不知尺澤竟至股盡處亦於尺之下略移一分便以爲下竟下矣○寸爲陽乾父主施尺爲陰坤母主受乾父一施之外○其受而生成者皆坤母故寸之度短而約尺之度長而豐○卽母氣胃氣之居多也○自尺抵尺澤股盡處○上約而下豐○其形已如胃矣○下竟下候少腹腰膝脛足中事○其未竟之上○尺部而下○仍分

粗工曰不睹內經者祇以爲創論

三部候之自頂至踵皆可以候人有脈絕而尺澤不絕亦謂之有胃氣不可便斷其死也余既得仙師指授參之內經下竟下之說乃知岐黃已先言之

營衛各生同會陰陽相貫晝夜相隨共行五十度其言各行二十五度須知

素問生氣通天論營氣不從之營與靈樞營氣之營字同其餘俱書榮字蓋古營榮通用大義當以營字爲是蓋陰氣在內如將軍之守營陽氣在外如士卒之衛外史記云以師兵爲營衛素問陰陽應象大論曰陰在內陽之守也陽在外陰之守其義曉

然矣。

靈樞營衛生會篇曰：人受氣於穀，穀入於胃，以傳五臟六腑，皆以受氣。其清者爲營，濁者爲衛，營在脉中，衛在脉外，營周不休，（此營字抵作運行，非血營也。）五十而復大會，陰陽相貫，如環無端。衛氣行於陰二十五度，行於陽二十五度，（此衛氣兼言血營，或省文。後人因此二字費解，且錯。）分爲晝夜，故氣至陽而起，至陰而止。又曰：營出於中焦，衛留於下焦。蓋中焦者，即胃之中所化清者；下焦，即胃之下所化濁者。清者自上而出，故曰上焦出於胃上口並咽以上貫膈而布胸中循太陰之分而行太陰者肺也每日寅時脉行手太陰肺始於中焦終於次指內廉出其端循行至手陽明大腸始於大指次指之端終於上挾鼻至足陽明胃始於鼻交頞中終於入大指間出其端至足太陰脾始於大指之端終於注心中至手少陰心始於心中終於循小指之內出其端手太陽小腸始於小指之端終於抵鼻至目內眥斜絡於顴至足太陽膀胱始於目內眥終於小指內側出其端至足

少陰腎始於小指之下終於注胸中至手厥陰心包絡始於胷中終於循小指次指出其端至手少陽三焦始於小指次指之端終於至目兌眥至足少陽膽始於目兌眥終於小指次指循大指內出其端貫爪甲出三毛至丑足厥陰肝始於大指聚毛之上終於注肺中自寅注肺至丑注肝復注於寅肺脉度有長短穴有多寡不可泥一時行一經也一時行一經自後世子午流注針灸諸書揣摩以一經配一時而銅人明堂圖遂依細攷內經及難經皆無此說營血行脉中衛氣行脉外氣之陽以護衛血陰而血之陰以經營氣陽謂之陰陽

相貫而其次第一裏一表一表一裏陰陽參錯而不紊亂亦謂之陰陽相貫營行衛行刻刻相隨何常離間本篇經云日中而陽隴爲重陽夜半而陰隴爲重陰隴當作隆素問生氣通天論有日中而陽隆蓋古以隆隴通用故太陰主內太陽主外各行二十五度分爲晝夜太陰者血營也太陽者氣衛也陰陽之氣各有所主於晝夜其實營衛無分也各行二十五度卽營行脈中衛行脈外之各行非營行二十五度之後乃衛行二十五度繼之衛行二十五度之外乃營行二十

五度繼之也如日月之行不休雖各主晝夜而子
陽在夜午陰生晝究竟晝夜有分而日月陰陽則
無分也生人之初與生天生地之初皆以一氣生
成故氣能統血營亦名氣以營氣乃生血非血無
氣而能自生也本篇云中焦亦並胃中出上焦之
後此所受氣者泌糟粕蒸津液化其精微上注於
肺脈乃化而爲血以奉生身莫貴於此故獨得行
於經隧命曰營氣又曰營衛者精氣也血者神氣
也故血之與氣異名同類焉夫氣生血血生於氣

以師行營

所謂刻刻相隨何常離間又安有先後其行度哉本篇所云五十而復大會又云五十度而復大會於手太陰蓋會於寸口即手太陰經之太淵穴又謂之經渠十二經脈其先以次第而行一呼脈再動行三寸一吸脈再動行三寸至於一萬三千五百息凡行八百一十丈脈一面行三焦一面分清濁生營衛至八百一十丈足而復會於太淵穴聽手太陰之注而循行蓋行時十二經各以次第其會時十二經會而後各分次第以行如師行然行

氣血足發明營衛

時必分次第而行駐扎時則總團營而宿是爲大會宿而拔營再行即脉之會而復各分次第以行此營衛之確義而可引喻也

寸口人迎不得其平主病

寸口居右手寸關之間故曰寸口以其爲脉氣之所會故又曰脉口又曰氣口人迎居左手寸關之間六氣之初足厥陰肝木之所受故曰人迎靈樞禁服篇曰寸口主中人迎主外兩者相應俱往俱來若引繩大小齊等春夏人迎微大秋冬寸口微

小。如是者曰平人。人迎大一倍於寸口。病在足少陽。一倍而躁。病在手少陽。人迎二倍。病在足太陽。二倍而躁。病在手太陽。人迎三倍。病在足陽明。三倍而躁。病在手陽明。盛則爲熱。虛則爲寒。緊則爲痛痺。代則乍甚乍間。即下文乍痛乍止盛則瀉之。虛則補之。緊痛則取之分肉。代則取血絡。且飲藥。陷下則灸之。不盛不虛。以經取之。名曰經刺。經刺或用鍼砭。或用灸。或用飲藥。止在本經。而不求之他經。刺解作取字義。用非鍼砭也。取血絡。即鍼砭也。人迎四倍者。且大且數。名曰溢陽。溢陽爲外格。死不治。寸口大於人迎一倍病在足厥陰一倍而躁病在手心主寸口二倍病在足少陰二倍而躁病在手少陰寸口三倍病在足太陰三倍而躁病在手太陰盛則脹滿寒中食不化虛則熱中出糜本經師傳篇云腸中熱則出黃如糜即大便也少氣溺色變緊則痛痺代則乍痛乍止盛則瀉之虛則補之緊則先刺而後灸之代則取血絡而後調之調之即飲藥陷下則徒灸之陷下者脈血絡於中中有着血血寒故宜灸之不盛不虛以經取之名曰經刺寸口四倍者且大且數命曰

溢陰溢陰爲內關死不治。本篇原文寸口四部者。名曰內關。內關者。且大且數。死不治。必是脫誤。本經終始篇有云。名曰溢陰。溢陰爲內關。內關不通。死不治。可證。本經終始篇曰。人迎與太陰脈口俱盛四倍以上。命曰關格。關格者。與之短期。寸口主中。人迎倍之。則中不足。是宜裏病而反表病者。以人迎主風。風因木動。膽陽木風之所自。故一倍於寸口。其病應在足少陽膽。陽以從陽。膽之風。木煽動三焦之火。故一倍而躁。其病應在手少陽三焦。三焦屬火而又爲中瀆之府。故二倍於寸口。其病應在足太陽膀胱

陽實陰實
各分輕重
證治同法

以乎水類也小腸屬火而分水之清濁故二倍而躁其病應在手太陽小腸亦就乎水類也小腸居胃之下受盛胃之水穀以分清濁故三倍於寸口其病應在足陽明胃胃之所納爲太陽傳送而出故三倍而躁其病應在手陽明大腸其各陽經之脈雖有盛虛陷下緊代不盛不虛之不同皆陽實而分輕重者其證亦如之故其治法雖有瀉補飲藥灸刺經刺之不同皆就其陽實中而分輕重應治者至於四倍溢陽爲外格格者拒也拒六陰

脈於內而使不得運於外也豈有獨陽而生者哉故其證爲死不治人迎主外寸口倍之則外不足是宜表病而反裏病者以寸口主氣氣之行即風之出路也氣阻於外則風不得行遂逆轉而歸於人迎之下以動陰風之木故一倍於人迎其病應在足厥陰肝陰以從陰肝之風木煽動包絡之火故一倍而躁其病應在手厥陰心主包絡包絡爲心之系筋膜如絲與心肺相連肺之生腎水以與心交必包絡爲之轉輸故二倍於人迎其病應在

足少陰腎腎之長系上通於心上下水火之路故二倍而躁其病應在手少陰心命門元陽之火爲精之源脾主精卽爲脾之母然心君居上以神明生其精所以脾之主思與心官同用故寸口三倍其病應在足太陰脾脾土之生者金也故三倍而躁其病應在手太陰肺其各陰經之脉雖有盛虛緊代陷下不盛不虛之不同皆陰實而分輕重者其證亦如之故其治法雖有瀉補刺灸調之經刺之不同皆就其陰實中而分輕重應治者至於四

倍溢陰爲內關關者閉也閉六陽脈於外而使不得入於內也豈有獨陰而生者哉故其證爲死不治至於四倍以上爲盛而躁此必人迎與寸口俱盛則陰陽俱實陽拒陰而陰閉陽是爲關格併證不必言不治但言短期其死更速也

寸口人迎如常營衛次第陰陽相貫方爲平人否則見倍躁極於關格

寸口主中人迎主外必如營衛脈度之行先手太陰而後手陽明而後足陽明之例見前營衛各生同會段內表

陽者自陽
陰者自陰
關格所由
以起其發

裏陰陽相錯而交此爲兩者相應俱往俱來若引繩大小齊等喻其平也平則中和中和則不盛而躁不平則盛而躁陽者單行陽而不交陰陰者單行陰而不交陽陰陽不得其所陽躁而陰亦躁如男女之怨曠而生事也若能於一倍杜其端而審其本末察其寒熱以驗其臟腑之病而用瀉補刺灸飲藥經刺之法則一倍而止不至再倍否則勢必至於格關而後已陽一倍則陽木發陽風膽木發風[redacted]一倍而躁則陽風發陽火膽木發三焦火

明五行之各陰陽可與叅同契悟眞叅看

也木生火與下文火生土土生金俱不言生而言發者以陰陽交始有生生之理今獨陽獨陰不交則不得謂之生直謂之發動而已二倍則陽火與陽水相觸三焦火觸膀胱水也二倍而躁則陽水與陽火相觸膀胱水觸小腸火也三倍則陽火發陽土小腸火發胃土也三倍而躁則陽土發陽金胃土發大腸金也大腸陽明本躁金加以陽火發之其陽躁爲尤甚則四倍不旋踵而至格拒六陰而死於絕陰矣陰一倍則陰木發陰風肝木發風也一倍而躁則陰風發陰火肝木發包絡火也二倍則陰火與陰

陰陽之必相交者正以表裏之不能離耳

水相觸包絡火觸腎水也二倍而躁則陰水與陰火相觸腎水觸心火也三倍則陰火發陰土心火發脾土也三倍而躁則陰土發陰金脾土發肺金也心生脾土脾土生肺金此本正理然心非小腸受盛化物則脾壅閼而不通脾非大腸傳送變化則肺濁薰而不清此所以表裏之不能離離則適爲患耳肺金本陰加以脾土陰中之陰發之其陰躁爲尤甚陽躁易辨陰躁難知陰躁如氷裂而有火硝石冷而發火是也三倍而躁則四倍不旋踵

而至關閉六陽而死於絕陽矣

內經關格兩說其實一理

靈樞脈度篇曰五臟不和則七竅不通六府不和則留爲癰故邪在腑則陽脈不和陽脈不和則氣留之氣留之則陽氣盛陽氣太盛則陰脈不利陰脈不利則血留之血留之則陰氣太盛陰氣太盛陽氣不能營也故曰關陽氣太盛則陰氣不能營也故曰格陰陽俱盛不得相營故曰關格其與本經禁服篇所云人迎寸口之不得其平至於人迎

四倍於寸口者爲溢陽外格寸口四倍於人迎者爲溢陰內格及本經終始篇曰人迎與太陰脈口俱盛四部以上命曰關格其旨似不同如脈度所云則是陰盛陽盛同病相因禁服篇所云則是溢陰溢陽各病相反然其理則一也何以言之陽盛陰盛未分之先其始皆由於五臟不和而後陽之七竅不通陽竅在於面部而爲諸陽之首目二鼻二孔耳二口一此雖皆屬陽竅而實內應五臟雖屬外竅而實內應上竅上竅不通則六腑不和留

毒發則淺毒不發則淺不獨爲絡也

爲癰者癰固陽病實陰之五臟釀而成之留爲癰故邪在府則陽脈不和陽脈不和則氣留之氣留之則陽氣盛故有盛則爲熱虛則爲寒緊則爲痛痺代則乍甚乍間諸陽實脈見於陽證者至於四倍溢陽格拒六陰於內皆氣留滯而不通也氣留滯而不通爲火鬱則發發宜發癰癰發則即以癰治之其邪再不干腑豈能復干臟哉惟火鬱而不發蘊其陽邪之毒留癰於內而不出癰留則陽氣愈留而盛不尋出路發爲癰而但尋入路格拒六

陰使陰氣不得運於外是以致陰脉不利陰脉不利則血留滯故有盛則脹滿寒中食不化虛則熱中出糜少氣溺色變緊則痛痺代則乍痛乍止諸陰實脉見於陰證者陰氣太盛陰氣必不甘受陽之格拒而亦關閉絕陽使陽氣不得運於內益禍始於五臟之陰然後六腑之陽奪陰之權而格拒之至於極盛陰復反變奪回其權陽雖歸其權而亢不可下以是關格之勢必至相仇而並盛其始也或人迎倍於寸口而爲陽盛或寸口倍於人迎

而爲陰盛其究也人迎寸口俱盛而爲陰陽俱盛則所謂陰盛陽盛同病相因者正由於各病相反而溢陰溢陽各病相反者正是同病相因其理非一而何

難經言外關內格內關外格因於寸陽尺陰不以人迎寸口爲準其旨與內經不同其言關格者異也

難經三難曰關之前者陽之動也脈當九分而浮過者法曰太過減者法曰不及遂上魚爲溢爲外

關內格此陰乘之脉也關以後者陰之動也脉當一寸而沉過者法曰太過減者法曰不及遂入尺爲覆爲內關外格此陽乘之脉也陰脉乘陽陽外閉而不下陰從內出以格拒之爲外關內格陽脉乘陰陰內閉而不上陽從外入以格拒之爲內關外格夫陽外閉而不下陰內閉而不上似乎陽守陽位陰守陰位可相安於無事然而陰陽本當相交今陽外閉而不下是不與陰交陰所以內出格拒之遂上魚爲溢也陰內閉而不上是不與陽交

陽所以外入格拒之○陰陽何以謂之交也○陽脈關前之寸度九分○陽宜浮○浮脈宜滿於九分之內○此陽位也○太過則浮出於九分之外○不及則浮不能足乎九分之內○陰脈關後之尺度一寸○陰宜沉○沉脈宜滿於一寸之內○此陰位也○太過則沉出於一寸之外○不及則沉不能足乎一寸之內○浮沉之太過不及○即以本位之陽寸當滿九分○陰寸當滿一寸而言○本經文自明○非謂呼吸至數之多少○亦非謂輕重取之○以驗其大小强弱虛實之類也○夫陰

印中脉　申印中脉　印中和　申印中和

陽之交者總貴得中今浮者陽沉者陰各有太過不及則卽不交矣此以不出位爲得中以不出位得中爲交非陽脉下於尺陰尺脉上於寸陽爲交也若陽脉下於尺陰則是入尺爲覆矣陰脉上於寸陽則是上魚爲溢矣蓋中者土也坤艮皆屬土胃之中乃和以其和氣充足而滿乎位無太過不及卽艮之思不出其位也艮雖位不居中而居於寅則生氣之始卽爲中和之原百脉之朝於寅肺卽歸於艮此不出位之微旨也外關內格其爲病

治病要訣不獨關格嘗如此

外熱而液汗不通內寒而胸滿吐食內關外格其爲病內熱而大小便閉外寒而手足厥冷勢必至陰陽易位合而爲病是爲關格與內經所云關格不同難經以陰陽相乘有合乎關格二字之義取而用之此關格治法先投辛香通竅下降之藥以治其上次用下泄苦寒之藥以通二便凡治病以開路爲治標爲急着此證尤其顯然者也三十七難所云關格與所引內經之言關格同

風爲百病之始實爲生之本

風爲百病之始內經凡數見故五邪皆屬風十二經皆有受風蓋每歲之主氣起於初氣厥陰木木爲肝之屬肝者干也即幹也其在天干則首甲乙肝之上爲人迎人迎者人受生之氣從此而迎入也生氣從此迎入則百病皆從生之本而感受之是以百病皆由於傷寒其實非風之咎也靈樞五變篇曰夫天之生風者非以私百姓也其行公平正直犯者得之避者得無殆非求人而人自犯之故本經九宮八風篇雖有大弱風謀風剛風折風

大剛風凶風嬰兒風風弱風之名不合公平正直之旨其實皆因物之感受而立名非風之自合如此名也卽六氣之化皆因民病有熱濕火燥寒五氣之化而傳之風化之客氣皆五者累之耳若以五者之受化而言皆謂之風化可也蓋天之生風非以私百姓熱濕火燥寒皆地氣之變非天之生風故六氣皆從地支化也其以風風木編於巳亥者巳亥爲子午之交陰陽生死之路十二時中絶續之際六十年中推移之會其所以神其用者皆風也

印後尺脈爲根印前胃脈中和

地氣不能無濕熱火燥寒故天以風化統之而寄於寅之天門其對爲巳也夫非以私百姓正所以公百姓其行公平正直故人之生也直而其形類木木以其根本能受土氣之中和而後乃可以枝枝之端發而爲葉爲花爲果人之根本在臍腎受胃氣之中和而後四肢十指之端生十二經脈亦如木之生然木之受生皆風貫之上自枝以通幹自幹以通根下自根以通幹自幹以通枝天氣下降地氣上騰春氣也春爲木之主推而言之四序

之木皆有天氣下降地氣上騰而後始得生所謂四序皆稟令於春四德皆統會於元也人一身而備四時之氣者此也枝幹之質實而其氣乃虛非虛不能受風而生也枝幹之枯其質則虛其氣乃實實者塞枯而不通潤是以不能受風之生氣而自然非風之害之也惟不能受生氣而風之所過不能免於害之實并風亦不能辭於害之名矣人身根本不搖動則四肢所受之風上下相貫行於經絡營衛而爲生氣若根本搖動則受害於風猶

之木病也○木有時一枝偏枯○此亦根本之氣○與此偏枯之枝○偶不能相貫致之○不至傷全樹之生○猶人之內偶一處受病○或外之四肢偶有痿痺瘡瘍之屬○亦不至傷身命也○但木之病損一枝○折而去之○不爲大害○人之病○損一處○則斷斷不可○外則殘病○內則傳經絡臟腑○身命淪亡○是以貴急調治之也○

陰○陽○手○足○各○五○經○

心肝脾肺腎五臟○手厥陰包絡寄焉○則臟爲六矣○

小腸膽膀胱大腸胃三焦爲六腑。三焦亦寄也。則腑實五也。靈樞經脈篇曰。心主手厥陰心包絡之脈起於胸中。出屬心包絡。下膈歷絡三焦。又云三焦散絡心包。下膈循屬三焦。此手厥陰與三焦爲表裏也。其部在右尺。右尺之表裏俱寄者何也。蓋兩尺者兩腎也。命門脈穴在兩腎中間。前對臍輪。其以右腎診命門者。以兩腎一水一火而火爲右腎。卽命門之所寄耳。三焦者大氣積於胸中爲上焦。所謂宗氣流於海者是也。卽任脈經膻中穴。又名上氣海○臍上四寸曰中脘穴○爲中焦○臍下一寸曰陰交穴○爲下焦○上焦降於中焦○中焦降之下焦○下焦升於中焦○中焦又升之上焦○猶天氣下降○地氣上行之象也○下焦在命門之下○其升而上乎中者○必由命門之路○營出於中焦○衛出於下焦○營血之生○皆本於營氣之化○營氣者○衛氣之所生也○則皆本於下焦矣○以下焦能取命門元陽之眞氣而升乎中也○中焦在包絡之下○胃之中脘○下於上焦○胃受水穀○小焦化其精微○以升上焦○而歸宗氣上

焦爲陽。下焦爲陰。中焦升降之間。爲半陽半陰。心包絡歷絡三焦者。以其與中焦爲升降也。三焦雖爲決瀆之官。水道出焉。其所以運化之者火也。火與類聚。故與包絡命門爲表裏。包絡與中焦爲升降。中焦爲半陰半陽。則心包絡爲半表半裏。是以爲陰經而有陽絡之號。心包絡之脉何以與命門分別診候。命門火旺。則包絡接引心之火而旺。命門火衰。則包絡不能接引心火而衰。命門者腎也。其脉當得沉石。若其洪大。則爲心包絡之脉見矣。

洪大而實數則與心包絡俱實火洪大而虛遲之
類則與心包絡俱虛火若見虛微遲小之類則命
門真火衰其見於心脈亦必相印也則幷用補心
倘心脈獨洪大而實數不與命門脈印此總斷之
真火不足則火不歸根而炎上仍以補命門之法
調之而不可補心不補心而補命門則包絡共受
其補必引心火歸根而不炎上三焦與包絡爲表
裏則卽與命門爲表裏若表裏兩俱盛清三焦之
火兼清命門之火若表盛裏不盛裏盛表不盛從

其盛而清之衰而補之診三焦之法若上焦有火見於兩尺三焦俱有火則獨取右尺之本位診之中焦有火見於兩關下焦有火見於兩尺蓋三焦爲膻中中脘陰氣三穴之空處其散則各以部見其撮合則聚於右尺之本位也三焦包絡俱寄於右尺寄則有名之虛而無名之實故臟腑俱各五也諸部各二經右尺獨得三經者人之生也從土氣則從地氣地不滿東南故東南方陽而人左手足不如右强其見之風土則東南風氣柔弱西北

風氣剛勁○就通身論之○頭以上爲陽○頭以下爲陰○是手並爲陰○左陽而右陰○右手爲陰中之陰○以手與足論之○則手爲陽○足爲陰右手爲陰中之陽矣○寸爲陽○尺爲陰○右尺爲陰中之陰矣○陰中之陰○陰極而生陽○故其地爲乾卦○邵子以乾爲少剛者是也○此所以三脈俱寄於右尺也○三者陽之體也○三脈皆屬火○乾之純陽也○火德三氣○即於三脈徵之○陽九也○乾不終亢而用九○故皆寄位也○人秉土氣而生○資生於坤○而實資始於乾也此所以命門與

臍輪相通。爲人之根蔕。而其脈寄右尺也。腑六者。秉坤氣而生。則必用六以應乾之用九。六亦五也。地支之二六。卽天干之二五也。律呂之二六。卽聲音之二五也。六亦五。則五亦六。是以五臟分二腎爲六也。所以合腑之十二。以應支以應律也。其實陰陽不過各五經而巳。六陰六陽。命門爲十三經。今以包絡三焦爲寄。并以命門爲寄者。以命門本腎。古人亦未另算一經也。明此者可以辨三焦之理。可以得水火之理。所謂各五經者。非言其當除

○也言其理而已○

發明九候部位兩經不同眞鑒開千古心胸非徒著述之美

祝茹穹先生醫印卷之二

盧陵弟子趙　嶷一蒼子記註

內經難經九候部位不同獨浮中沉與七診法合

素問三部九候篇云○有下部○有中部○有上部各有三候○三候者○有天有地有人也○必指而導之○乃以爲眞○上部天○兩額之動脉○上部地○兩頰之動脉上部人○耳前之動脉○中部天○手太陰也○中部地○手陽明也○中部人○手少陰也○下部天○足厥陰也○下部地○

足少陰也。下部人。足太陰也。故下部之天以候肝。地以候腎。人以候脾胃之氣。中部之天以候肺。地以候胸中之氣。人以候心。上部之天以候頭角之氣。地以候口齒之氣。人以候耳目之氣。十八難曰。三部者寸關尺也。九候者浮中沉也。上部法天。主胷已上至頭之有疾也。中部法人。主膈下至臍之有疾也。尺為下部。法而應乎地。主臍下至足之有疾也。內經以三部各有天地人。三而三之為九候。上中下不定乎寸部之位。與難經之寸為上。中為

面部脈診間世有幾人知否

關下爲尺不同上部俱定於頭面兩額之動脈即下文天以候頭角之氣此脈在額兩旁瞳子髎音寥骨空處聽會等處動應於指兩頰之動脈即下文地以候口齒之氣此脈在鼻孔下兩旁近於巨髎之分動應於指是則面部不獨色診且脈診矣脈診則仍用七診以浮中沉切循之可以知頭面之詳矣中部之三候俱於寸診其地候胷中之氣則氣口也本經經脈篇所謂行氣於府即膻中上氣海穴也下部之天候於關之肝地候於尺之腎人候

於脾胃之氣○三部之候○天位乎上○人位乎中○地位乎下○獨下部人候反在天之上者○天氣下降○接乎地之陰氣○此地中之天○人高乎地○卽高乎地中之天矣○三部以頭候頭之屬○以手候臟腑之屬○不及臍以下至足者○以足之四經○腎主骨○肝主筋○脾主四肢○胃主宗筋○與腎相連○并筋骨主之矣○是則手候臟腑之屬○足亦候臟腑之屬○并及臍以下至足○以諸脈皆係於手足○諸經○足之脈實在於手○不可泥頭候頭之屬○遂泥當以手候手之屬○足候足之

刺法有左病取之右右病取之左謂之繆刺診法則斷無是理辨經文錯簡處至精至確

屬也。乃本篇之後。復申言之。云以左手足上去踝五寸按之。庶右手足當踝而彈之。其應過五寸以上。以左手足上至當踝而彈之。舊解以其左手上去踝五寸。即太淵穴。左足上去踝五寸。即漏谷之下。兩處按其脈。則於右手右足當踝而彈之。若按右手右足之脈。則於左手左足彈之。使左右相應。愚謂彈左手左足之當踝。而應右手右足之按處。彈右手右足之當踝。而應左手左足之按處。斷無是理。或庶右手足四字。不在五寸按之之下。而在五寸以上之下。文宜右手足如之。推按本手足上去踝五寸。而取本手足當踝而彈之。方有應。然本文所云其應過五寸以上。語已簡明。未嘗及左右相應也。經文多錯簡。而此篇尤甚。即王啓玄滑伯仁俱未深攷。蠕蠕然者不病。其應疾中手渾渾然者病。中手徐徐然者病。蠕蠕蟲之微微軟動。狀中和也。渾渾當作混混不清。徐徐太緩而不應手。字義宜活看。不然。渾渾徐徐。竟與蠕蠕無別。似中和胃氣之脈矣。其應上不能至五寸。彈之不應者。亦手踝之上手大陰肺經脈也。應於中部去踝五寸。手之踝骨在下。而從內廉至太淵穴。討有五寸。足踝之上。足太陰脾經脈也。應於下部去內踝骨之上五寸。乃三陰交之上。漏谷之下也。蓋漏谷去踝六寸也。則中部之三候。舉一手太陰。而可槩其餘。手太陰者。百脈之所會。大中之中。故應中部下部之三候。舉一足太陰而可槩其餘足太陰者。陰

印胃氣中脈

土也陰與土其氣俱下故應下部按而彈手足踝者所以盡兩太陰脈之量周悉無遺也諸脈獨於兩太陰加意者太陰屬坤坤爲胃氣手太陰之中部天而卽統乎中部之地與人貴天之中也是太陰之下部人而卽統乎下部之天與地貴人之中也天人之際得中而地道自寧不必揭地之中且以知天人之中卽胃之中卽地之中也內經之旨精與非神聖不能窮其理故扁鵲以寸關尺定上中下以天人地配上中下爲三部以浮中沉三而

三之爲九候使中智之士皆可攷而得之其言浮
中沉髣髴內經七診之意上智之士遵內經之九
候如七診之獨小獨大獨疾獨遲獨熱獨寒獨陷
下必用浮中沉女之乃得其微本篇云切循其脉
視其經絡浮沉以上下逆從循之可印矣

死脉決期以氣口爲確據

朱丹溪曰昔軒轅使伶倫截嶰谷之竹作黃鍾律
管以候天地之節氣使岐伯取氣口作脉法以候
人之動氣故黃鍾之數九分氣口之數亦九分律

管具而寸之數始形故脈之動也陽得九分陰得一寸吻合於黃鍾黃鍾者氣之先兆故能測天地之節候氣口者脈之要會故能知人命之死生內經言氣口人迎者數見而氣口更詳素問平人氣象論曰欲知寸口太過不及寸口之脈中手短者頭痛寸口脈中手長者足脛痛寸口脈中手促上擊者肩背痛寸口脈沉而堅者病在中寸口脈浮而盛者病在外寸口脈沉而弱寒熱及疝瘕少腹痛寸口脈沉而橫脇下有積腹中有橫積痛寸口

脈沉而喘○寒熱○脈盛滑堅者○病在外脈小實而堅
者○病在內○脈小弱以濇○謂之久病○脈滑浮而疾○謂
之新病○脈急者疝瘕○少腹痛○脈滑風○脈濇痺○緩而
滑熱中○盛而緊脹○經脈別論曰○食氣入胃○散精於
肝○淫氣於筋○食氣入胃○濁氣歸心○淫精於脈○脈氣
流經○經氣歸於肺○肺朝百脈○輸精於皮毛○毛脈合
精○行氣於府○府精神明○留於四藏○氣○歸○於○權○衡○權
衡以平○氣○口○成○寸○以○決○死○生○飲入於胃○游溢精氣○
上輸於脾○脾氣散精○上歸於肺○通調水道○下輸膀

胱水精四布五經並行合於四時五臟陰陽揆度以爲常也權衡者卽爲食飲之平人之受命有生後延此氣者飲食飲食之養人在於氣之運化故氣之名不一卽此節次第舉之曰食氣淫氣濁氣脉氣經氣精氣脾氣食入於胃精氣散於肝歸於心而會於肺飲入於胃者輸於脾歸於肺而下行於膀胱蓋飲食皆入於胃中焦並胃中出上焦之後營氣之所從出卽大氣宗氣爲膻中府爲上氣海所謂行氣於府府精神明者是也中焦升降乎

上下兩焦相合而注於肺故肺之氣口即肺胃之間氣府之口也氣府之權衡應與氣口爲準氣口中手之脉與見證者其太過不及皆氣府飲食之氣使然調經篇云因飲食勞倦損傷脾胃始受熱中末受寒中蓋寒熱虛實皆本於飲食之失節則入胃不能布散淫泆而清濁不別清濁不別則營衛亂序氣口爲營衛百脉之所歸故見於氣口者皆病脉矣病脉不能枚舉姑舉其上下表裏氣血虛實以徵太過不及餘可以類推也逼氣口能盡

決死之診內經言之屢矣叔和之形容絕脈皆本之不如此以動散爲提訣

難經言散脈可證

十二經之脈證其證重者垂死則不必言證之見於何種與脈之見於何類但以脈動決其死期一動而散一日之期二動而散二日之期五動而散其期皆應六七巳上則可寬二日至於十動而散其期應一年蓋以月代日之期也雖云五十不止身無病其止必自然和緩乃爲無恙若見散代者亦可以決五年之期散者非止也難經曰散脈獨見則危渙散不收蓋爲氣血俱虛根本脫離之脈況見於數動之應少乎散必與代見代者脈動而

藏府言散脉可證

中止不能自還因而復動其動者必渙散不收是也王叔和曰代散者死生洩及便膿血則脾胃之敗飲食之不能納化也孫眞人曰萬病橫生年命橫夭多由飲食飲食之患過於聲色聲色可絕之踰年飲食不可廢於一日爲益既廣爲患亦濱且滋味百品或氣勢相伐觸其禁忌更成沉毒緩者積年而成病急者災患當卒至也飲食一日不可廢利害係之其利也飲食之氣運化營衛行百脈以朝於寸口其害也飲食之氣留滯生變未甚則

尚行百脈以朝於寸口。而見太過不及之類甚則并不能行百脈以朝於寸口。故一動二動以次應少而散也。夫一動二動。雖期近應少災患卒至。然沉毒蘊久至診脈乃覺察。耳非與中鴆毒者比

氣口關係重於人迎之故

脈者水也氣血皆水之行也。太淵經渠以名氣口者。從水之旨也。飲食者飲固因水食亦水。變化成之。經所謂水精四布五經並合於四時五臟陰陽揆度以為常。並言飲食皆為水精而總結上文

印風爲生之本

印陰陽之交

遍節之意也○遍節引見前篇食氣入胃○先散精於肝○水之精生子○即賴子之力以運行之○胃主納而脾主化○所以化者○實肝風之無微不入也○飲入於胃○先上輸於脾○以就化而散精○飲養陽氣○食養陰氣○飲必會於脾○此陰陽之交而成氣也○風水渙渙者散也○散精而浸淫流輸遊溢○通調四布○諸類是也○水風井○井養而不窮○即四時陰陽之常也○蓋飲食之入胃○肝木之風○迎入以運化○故曰入迎○迎入而飲食之氣盡歸於三焦○三焦者○先起於中焦○升降乎上

下二焦也。張潔古解上焦如霧，中焦如漚，下焦如瀆。云霧不利而爲喘滿，漚不利而爲留飲，瀆不利而爲腫脹。此三焦爲決瀆之官，秦越人所謂水穀之道路，氣之所終始也。人迎寸口之脉，引繩平等，其飲食之入與風之運行，分量相因，如受得幾多飲食，恰好迎入幾多風以運化，風非外來之風，吾身自然呼吸之風也。若飲食不及呼吸之風，其權不能由已以行，遂有外至之賊邪者乘之，雖曰傷風寒（傷風傷寒迥不同，此處因言與傷食之異，故衆風寒總言之，詳解後篇。）其實飲

治人迎準氣口治氣口準人迎皆以氣口爲準也醒甚

食之量不能與風相稱故感風而入也如飲食太過呼吸之風其權亦不能由已以行遂使清濁不能別糟粕留滯以爲祟此爲傷食人迎大於氣口爲傷風寒者雖治人迎之太過必準於氣口之不及以爲治用表藥汗解後卽當徐議溫裏之法益原因飲食之不及故培補之以與人迎平此氣歸於權衡之旨也氣口大於人迎爲傷食者必準於人迎之不及以爲治用裏藥吐下清利以解後卽當議溫補本經五常政大論曰大毒治病十去其

六。常毒治病。十去其七。小毒治病。十去其八。無毒治病。十去其九。穀肉菓菜。食養盡之。無使過之。傷其正也。故飲食爲養人之本也。是治表之法簡。而治裏之法繁。可以通氣口關係重於人迎之故矣。本經通評虛實論曰。邪氣實則盛。精氣奪則虛。邪氣者。風寒暑濕燥火。精氣卽正氣。乃飲食所化之精微。實則盛者。爲邪氣方張。脈證皆實。實者瀉之。或取本經。或瀉其子。汗吐下清利皆是也。瀉之義。統通宣而言。非十劑之名類也。奪則虛者。或內傷精血枯損。或治邪

此理甚明而從來明醫者未辨何也

氣用汗吐下清利諸法太過脈證皆虛虛者補之或取本經或補其母飲食藥餌溫熱皆是也治實有巧法亦有速法治虛無巧法亦無速

氣口者正以人病之虛居多皆由精氣奪之故以精氣皆由飲食之故也以飲食之太過不及皆準於此也氣口見死脈數應少動而即散者精氣奪之極耳

脈不滿五十動而一止爲腎氣先盡故尺脈爲根以五臟各候一動者謬

脈以五十動而不一止者爲平五臟之氣準河圖大衍每臟各合二五成十爲生成之數初之十動爲肺二之十動爲心三之十動爲脾四之十動爲肝五之十動爲腎呼陽屬肺心吸陰屬肝腎呼吸之間屬脾各因其上中下之位也若不滿五十動而一止是腎氣先盡矣若不滿四十動而一止是肝氣繼盡矣以此次第推之脾肺心三臟皆然有腎氣盡而四臟存者未有四臟盡而腎氣存之理此尺脈所以爲根也十一難曰經言脈不滿五十

動而一止一臟無氣者何藏也然人吸者隨陰入呼者因陽出今吸不能至腎至肝而還故知一臟無氣者腎氣先盡也每臟各十動之義較若列眉矣乃諸家解者相沿謂五動者一肺二心三脾四肝五腎一息五動則徧周五臟何其謬也審如是則不妨一息之外便止而五臟無病矣何以必五十動數之足也又審如是則不滿五動者單為腎絕餘四臟無病乎不滿四動者單為肝絕餘三臟無病乎據彼之說以每一息周五臟假如至二息

第三動而止。亦爲脾臟無氣。然一息之第三動未止。脾臟氣已周矣。豈得指爲無氣乎。又假以四十三動而止。亦爲脾臟無氣。然脾之逢三逢八者屢見矣。又豈得指爲無氣乎。且數息於動間應指至捷。但於每臟記十則確然不爽。若於中間之動止記所屬臟。差少一動則屬別臟。如脾本位三。誤以三爲二。則心屬。誤以三爲四。則肝屬。且誤以三爲一有之。誤以三爲五有之。若專心靜氣。精神既在切脈之浮沉遲數之類。又記五十動數。豈更暇及一臟一動。總之。無是理。因窮極謬解者之非。而況一動應一臟。本經了然。實無此說也。即偏敢之內經。已無此說。近代名流

天樞之說

如李瀕湖亦不免此附和。夫所謂一肺二心三脾四肝五腎者，若曰人之脈一息五至者。其理何居。以其合乎五臟故耳。謬解者以辭害意，且妄爲之立圖，以一六各五皆列於肺，二七各五皆列於心，三八各五皆列於脾，四九各五皆列於肝，五十各五皆列於腎。支吾乖錯，可發軒渠。謬解者。以一動肺。二動心。三動脾。四動肝。五動腎。挨次輪轉。六又爲肺。七又爲心。以至五十。故曰。一六各五。皆列於肺。二七各五。皆列於心之例也。夫人之所受生者，賴呼吸之氣耳。呼吸之氣無刻不交，皆天樞之轉旋。素問六微大旨論曰：上下之位，氣

踰疑者有天樞與論

交之中。人之居也。故曰。天樞之上。天氣主之。天樞之下。地氣主之。氣交之分。人氣從之者。本經文所云天氣司天。地氣在泉。則人氣當是左右四間之推移升降爲氣交。即在人身呼吸驗之。呼陽天氣。吸陰地氣。所以司呼吸者。脾半陰半陽。故曰氣交。脾在胃之中脘。其空處即中焦。脾運中焦之氣。以腐化水穀。人氣能升降天地之氣以受生。即脾氣之升降四臟之氣以受生。一而二。二而一。非踰也。人身合五運六氣。其理甚奧。而以呼吸統之。甚簡也。脾上接於肺心之呼。下接於肝腎之吸。故爲呼吸之間。即中焦之升降乎上下兩焦。一而二。二而一。非踰也。蓋心肺在上焦。肝腎在下焦。脾在中焦耳。天樞穴在臍之兩旁。係足陽明胃經穴。各在臍旁二寸。當上下之中。以接陰陽呼吸之氣。而呼吸之轉竅。則始於天樞臍

印中　印胃氣

之兩旁卽腎堂腎爲北方天樞卽北辰北極之義北而名中者非中也中之根也故北極卽中星也中之根在腎爲斗柄中之中在脾爲斗口中之上在心爲斗標肝近於柄側肺出於標外爲華蓋腎與心對則子午之符也五十動內而止則中之根絕中之根絕則胃氣絕胃之宗筋與腎相連而中氣相遞扶脾以運化者也此皆於氣口候之然上部無脈下部有脈此爲脈有根本人有元氣故知不死又不必於氣口候之而於尺候之此則氣口

寧無而不可數動而止與見代散之脈氣口全無尺部有者諸氣之根皆歸於腎故力量不能至寸非寸絕脈也上部有脈下部無脈其人當吐不吐者死以驗有邪實與否也若有邪實在上生氣不得通達故當自吐其邪而升其氣爲邪實阻閉脈道使下部不能通上部非下部之眞無脈也若無邪實自應不吐則下部之眞無脈矣根絕而死夫復何疑非不吐之過也且腎脈已絕氣亦必無五十動而止之平脈此屢驗確然之理也

至脈從下上。損脈從上下。病本皆由於腎。徵尺脈爲根。

一呼再至。一吸再至。爲常。陰陽之平也。至則加之而屬陽。損則減之而屬陰。十四難曰。脈有損至。何謂也。然。至之脈。一呼再至曰平。三至曰離經。四至曰奪精。五至曰死。六至曰命絕。此至之脈也。何謂損。一呼一至曰離經。二呼一至曰奪精。三呼一至曰死。四呼一至曰命絕。此損之脈也。至脈從下上。損脈從上下也。至者過至。損者不及至。恐互混。故分不及者爲損。不言息而言呼者。

中有一三五之單數以便單舉也。是以陽初勝陰并不言吸。只以氣之出入定損至耳。陰初勝陽爲離其常經。陽勝於陰則奪去陰之精。陰勝於陽則奪去陽之精。陽勝陰亡。陰勝陽亡。則精奪盡而死。死矣復曰命絕者。葢有二息始得一至爲陰亢極之脈。一息十二至爲陽亢極之脈。故也。二息一至陰亢極則窮於陽矣。一者陽奇之始數。陰不能得陽。將并一而絕也。一息十二至陽亢極則窮於陰矣。十二者陰偶之終數。陽不能得陰。將并十二而絕也。并一而絕。并十二而絕。言命絕後無脈也。本篇云損脈之爲病奈何。然。一損損於皮聚而毛落。二損損於血脈。血脈虛少不能榮於五臟六腑也。三損損於肌肉。肌肉消瘦。飲食不能爲肌膚。四損損於筋。筋緩不能自收持。五損損於骨。骨痿不能起於牀。反此者至於收病也。反此者自下而上收病即皮聚毛落。聚落收拾之義言自骨痿以至於聚落也。從上下者骨痿不能起於牀者死。從下上者皮聚而毛落者死。從上下者肺心脾肝腎以次而損。從下上者腎肝脾心肺以次而損。此病證之應。其根本之搖。則自腎始。何也。此內傷之病非外感之證也○若外感之證○則自皮毛而傳於經絡以至骨節疼痛○內傷之病○雖云一損於皮毛○究其源○因腎之不足○而不能榮筋○以致筋之不足○不能榮肌肉○肌肉之不足○不能榮血脉○血脉之不足○不能榮皮毛○而後皮聚毛落○血脈虛○少肌肉○消瘦○筋緩不能收持○極於骨○痿不能起牀也○譬之木○然腎根本也○肝幹枝也○脾所以長大也○心所以潤澤也○肺則樹皮而葉毛也○樹之皮裂卷而不舒○葉落而不留○枝幹枯槁○至於根腐敗○其始則起於根○無氣

諸病不論見上見下皆係腎不足知此理不可妄施苦寒以損真元

不能榮枝幹以及於皮葉也以其陰極而無陽陽上也從上而至下從其陽不足者先損若陽極而無陰陰下也從下而至上從其陰不足者先損故損損也至亦損也陰極陽極皆受病下不足也蓋陽雖上而元陽之氣在下在上者元陽之發而起耳元陽者兩腎中間一點明命門也此尺之所以爲根也元陽之本氣絕則諸標皆應之肺爲標之標故自肺始肺以剛氣之生故爲金其剛氣之能生者清肅而冲和則土之精華也故肺位居艮而

與脾土同太陰之義。元陽無火，則不能生土之精華而損矣。素問陰陽離合論曰：陰爭於內，陽擾於外，魄汗未藏，四逆而起，起則薰肺，使人喘鳴。陰之所生，和本曰和。是故剛與剛，陽氣破散，陰氣乃消亡；淖則剛柔不和（淖音鬧，泥也，糊塗混雜之義），經氣乃絕。未陰主內，陽主外，爭擾則營衛不和。肺藏魄，魄不寧則不守舍，妄行外泄而出汗。鼻陰汗，亦陰也。以此四臟不和之氣，皆逆而起干肺（舊解四肢厥逆而起，夫四肢厥逆何以肺，於理爲謬）。原夫呼吸之氣，自肺傳心，共成呼；心傳脾脾轉運之於肝肝傳腎共成吸脾復轉運之於心肺而成呼肺主氣故氣管居肺上以司呼吸之門順行於四臟今以不和則四臟逆起而薰之使之喘嗚殊不知陰之所生和則曰和不和則爭擾而爲剛剛與剛非盡說陽也陽亢陰亢皆剛也陰亢極則陽氣不能勝陰而從此破散自皮聚毛落以致於骨痿皆破散之象陽亢極則陰氣不能勝陽而從此消亡則自骨痿以至於皮聚毛落皆消亡之象陰陽糊塗混雜剛柔不和諸經之氣以漸而

五勞六極七傷終必以肺經受病理盡於此二語

絕大要皆腎氣之無根而應於肺火陽不足則不歸原妄炎上而剋金水陰不足則無以養竊母氣而損金治損之法雖曰損其肺者益其氣損其心者調其營衛損其脾者調其飲食適其寒溫損其肝者緩其中損其腎者益其精各就本經以治然仍當用補母瀉子較虛實之本為法可治者覺察其離經治之最早至於奪精猶可若待死脈之見雖盧扁復生弗能下手彼已定死與命絕之案

脈有單切有兼切有兼中之單切有單中之

診法分别　精如剥笋

兼切

切法三候用舉按尋三法輕手循之曰舉取浮重手取之曰按取沉不輕不重委曲求之曰尋取中此三候各有兼切有單切有兼中之單切有單中之兼切兼切者三法俱用如數緊絃實遲緩細長短動促結濇代之屬兼用浮中沉取洪芤兼浮中而取弱兼中沉而取浮而有力爲洪則浮取洪爲重按少衰則中取芤浮大而耎則浮取按之中央空兩邊實狀似葱葱指下成窟則中取故二脈兼浮中而取也弱主沉分輕取不可見中取則可見矣故兼中沉而取也單切者各用一法如浮虛濡

微華之屬。單用浮取。沉伏牢之屬。單用沉取。浮固浮也。浮而無力爲虛。浮而細且軟爲濡。浮而極細極軟似有似無爲微。華與牢。皆大而絃。華則浮取而得。牢則沉取而得。沉脈行於筋間。重按即見不可泥沉爲腎。腎主骨。必按至骨乃見。若伏脈行於骨間重按不見。必推筋至骨乃見。兼中之單切者。四難曰。心肺俱浮。何以別之。然浮而大散者心也。浮而短濇者肺也。肝腎俱沉。何以別之。然牢而長者肝也。按之濡舉指來實者腎也。浮而大散。浮而短濇。牢而長。濡而實。皆有和緩胃氣。形容各部本脈。大畧如斯耳若執着如斯俱是病脈之見非本脈矣夫兼切單切中不獨取。而單中之兼切。脾又獨以中行。本篇所云。脾主中州故其脈在中者脾之運化即中之變化也單中之兼切者本篇云所謂一陰一陽者謂脈來沉而滑也一陰二陽者謂脈來沉滑而長也一陰三陽者謂脈來浮滑而長時一沉也所謂一陽一陰者謂脈來浮而濇也一陽二陰者謂脈來長而沉濇也一陽三陰者謂脈來沉濇而短時一浮也須分其部位察其病證治之此舉浮沉長短滑濇六脈偶動耳其諸脈之互見而爲證多端者可以類推

脈單中之兼變化從出故獨詳診治之法

辨證治法按脈合證如影隨形如響應聲皆以內經難經叔和眞脈經爲則至高陽生僞脈訣一字不從方爲不誤

脈來沉而滑沉主蓄水滑主有痰見於寸爲痰鬱并上膈停飲嘔吐吞酸舌強欬嗽法當開鬱清痰飲破硬痰見於關爲中寒而痛不通兼有宿食法當溫中化滯見於尺爲濁遺幷泄痢腎虛下元痼冷或癩淋法當溫補兼清分脈來沉滑而長長乃陽盛主有餘之病見於寸爲痰鬱留飲嘔吐吞酸舌強皆火盛而衝逆法當清痰飲破硬痰兼瀉上焦之火見於關爲寒熱相摶而痛不通法當清中焦之火溫中兼以化滯見於尺爲濁遺泄痢腎虛

下元雖痼冷而陰中有火法當溫補收澁兼清下焦之火脈來浮滑而長時一沉浮主風見於寸為頭痛眩生風兼有風痰聚於胸風不行水而煽火則風痰而兼熱法當祛風清熱化痰與飲見於關風木尅脾土致脾土不能運化使飲食陰陽之氣鬱寒熱相搏而痛不通法當制木培土調和其陰陽見於尺為濁遺泄痢下元之痼冷而有時或溲便不流通謂之風結蓄血既枯寒加以風火竭之法當溫補清分兼疎血風脈來浮而濇浮風濇為

血少傷精見於寸爲頭痛眩生風心血虛而引背痛法當輕袪風而重補心血血足則潤風不躁發矣見於關爲風木尅脾土肝之藏血與脾之裹血俱不足法當養肝和脾俱濟以血不可制肝甚其枯仍不可用潤滑之藥以犯脾之忌見於尺爲血與風並結於大小腸爲溲便不流通爲腸結或下紅法當袪風潤腸生血脈來長而沉濇見於寸爲心血虛引背痛火上而浮游衝於頭面法當補心血而清無根之火見於關爲脾胃有火陰血不足

法當瀉火而益血見於尺爲血逐火而不歸經見便血溺血遺精諸證法當清火養精生血引血歸經脈來沉濇而短時一浮短則氣病主不及之病見於寸爲上氣不足血氣間隱隱作痛頭痛眩暈時發法當升提肝肺之氣使氣生血陽引陰而上榮見於關爲中氣不足時時如饑狀肝血不足則目澀而不開脾血不足則嗜臥法當補中益氣兼補血分見於尺則元氣不足以致腎血不生腹中作痛少感寒亦卽腹作痛法當峻補元氣大益精

就避二字可該諸脈之與此則非仙師所授斷斷不能知

血使其溫而不寒則邪寒自不能干本篇云各以其經所在各並逆順卽以寸關尺各經取之而得其病之逆順通臟腑十二經俱在其內可以類推而剖析也

三就爲實脈三避爲虛脈分別陰陽以爲治法

脈之類至繁以三避三就候之中指而陰陽了然陰陽者浮中沉三候俱有浮爲陽沉爲陰中爲半陰半陽其全義則見之三就三避焉輕手循之中

指而來浮就也重手取之中指而來沉就也不輕不重委曲求之中指而來中就也輕手循之中指而去浮避也重手取之中指而去沉避也不輕不重委曲求之中指而去中避也三就爲陰陽俱實法當兩瀉三避爲陰陽俱虛法當兩補其就避之各見以三分權之因量以治之如浮就而中沉避爲陽一分實在外陰二分虛一分虛在內一分虛在內外之間法當瀉陽外之一分補陰內與內外之間二分如浮中就而沉避爲陽二分實一分實

在外一分實在內外之間陰一分虛在內法當瀉陽外與內外之間二分補陰內之一分如浮中避而沉就爲陽二分虛一分虛在外一分虛在內外之間陰一分實在內法當補陽外與內外之間二分瀉陰內之一分如浮避而中沉就爲陽一分虛在外陰二分實一分實在內一分實在內外之間法當補陽外之一分瀉陰內與內外之間二分如浮沉避而中就爲陽一分虛在外陰一分虛在內半陰半陽實於內外之間而不能升降法當和中

中有大分別淺者以爲同耳

以接補內外陰陽之虛如浮沉就而中避爲陽一分實在外陰一分實在內半陰半陽虛於內外之間而不能升降法當補中以調劑內外陰陽之實陽實陽虛者兼腑而消息補瀉之陰實陰虛者亦兼腑而消息補瀉之診部不同如傷寒則取十二經之陰陽虛實總候雜證則按中脈侵而取之看其在何部何經以別陰陽虛實治之勞傷則取之兩腎左尺弱於右腎爲水不足則爲陰不足右腎弱於左腎爲火不足則爲陽不足王太僕云水不

人褒之於已足千古備此爲叢上一乘

足者壯水之主以制陽光六味丸主之火不足者
益火之源以消陰翳八味丸主之是也然但定於
左右兩腎大槩之虛實必須合兩腎之避就如何
乃以證對之當補陰幾分瀉陽幾分或補陽幾分
瀉陰幾分庶不偏枯盖人之受病既不得中其陰
陽所傷之太過不及實有分兩非陽實陰虛者三
分皆陽無一分陰陰實陽虛者三分皆陰無一分
陽夫三分皆陽此必於傷寒陽證見之傷寒陽證
見陰脈者不治以其真無一分陽故也若使勞傷

即胃氣

之人無一分陽則早爲傷寒陽證見陰脈之鬼矣安得留以待壯水耶三分皆陰此必於傷寒陰證見之傷寒陰證見陽脈者生以其尚有一分陽故也若使勞傷之人無一分陽則早爲傷寒陰證不見陽脈之鬼矣安得留以待益火耶夫三就三避之脈不見於傷寒而他見者必其就避之間自有胃氣胃氣者陰陽之中和也不得謂之孤陽獨陰矣使無胃氣而以三就三避見其人即免於傷寒不免於暴死矣麤工以陽虛陰虛陽實陰實判離

兩途○一遇陽虛陰實之證○輒純用補陰以瀉陽○其禍流爲孤陽獨陰而不可解○或陰陽雜補雜瀉○又不知分內外○與內外之間○謬爲處劑○奈何○

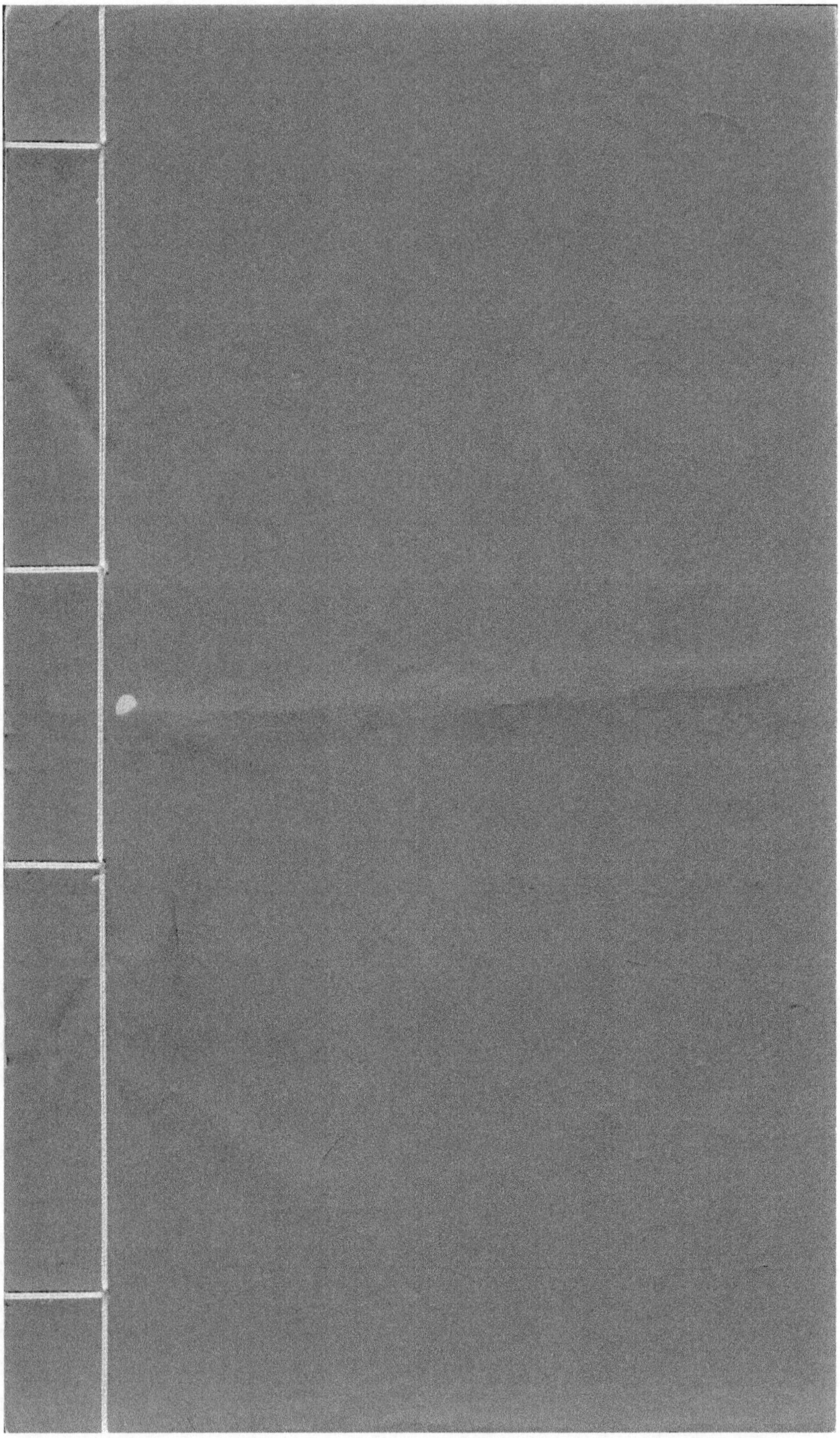

祝茹穹先生醫印卷之三

盧陵弟子趙　嶷一蒼子記註

五臟五行所屬有克之而反生生之而反克

舉一而知

肺金、心火、脾土、肝木、腎水、以生者爲母以克者爲賊虛則補其母宜實則瀉其賊矣何以瀉其子也子虛則竊食母之氣以養母必從而顧之故瀉者令其子虛以分母之實假令土實則必瀉令肺虛使肺金爲子者竊食土母之氣以養土母必從而顧之則土之實平矣此淺說也更有奥義凡實者必侮其所不勝益欺其所勝皆挾子之力也假令肺金其所不勝者心火也其所勝者肝木也今肺實則挾其子腎水之力以侮所不勝之心火而益欺其所勝之肝木但瀉其子則失所挾而安其位矣若不瀉其子而瀉其賊從心火治之治心火則必重補腎水是實則補其子矣肺病熱實者爲心火刑金則土亦必燥用之固中病水但克火而潤土必不至於泛而侮土也若肺病寒實其脉之見

虛滑而濡既非熱實矣寒實爲飲與痰客之而不去宜瀉其腎水使不制心火（心火爲心之血氣非云邪火也）心火足則煖氣熏蒸肺矣心火本刑金今金寒實必藉火之煖氣以熏蒸是克之而反生也心火足則命門包絡之火俱足以薰蒸脾土土煖然後能薰蒸肺金飲食運化則痰飲不作而不爲寒實所客若不審此法必不知肺之爲寒實而以爲熱實既用寒涼之藥瀉其本經復用寒涼之藥瀉其心火本經之寒實愈凝滯而心火復不能薰蒸之脾土不

能受心火與命門包絡之火薰蒸則亦不能熏蒸肺金肺之寒實凝滯既久鬱而伏火以克肺其禍不可言矣脾土固當補之以養金必兼用燥滲藥如二术澤瀉茯苓之類以瀉其邪水邪水者腎寒水之所泛也瀉腎之邪水者以其始泛爲濕痰以停蓄於脾漸而升之泛爲痰飲以停蓄於肺故瀉肺之子也補土之法審其脈見微濇遲緩之類則知脾氣血不足而無水邪宜純用溫補而不必用燥滲之藥恐其氣血也其脈見濡滑沉遲之類

則知邪水泛行宜用溫補而兼用燥滲若邪水泛行純用溫補不用燥滲其邪水停蓄日盛則精氣愈奪而虛飲食所至必不運化與溫補之藥餌始焉相爭而不合繼焉相混而爲祟蓋脾之停蓄水邪爲濕而積飲食藥餌并爲濕熱濕熱之火損肺金人誤以爲心火之克肺而不知脾火之克肺也溫補而不知兼用燥滲以逐水邪雖曰補土以生金其實釀濕熱之火以克金所謂生之而反克者此也且腎泛邪水則正水不足肝木失其母則相

火動而侮肺人誤以爲心火之克肺而不知肝火之能克肺也夫五臟六腑之病皆有傳變由於不知瀉子之法以致之不知瀉子之法則不知補母之法其失相符也言熏蒸者以諸臟腑皆水火所養水火卽呼吸之氣呼吸之氣卽熏蒸之實義也

傷風有傷風寒傷風熱稍分別治法大同小異

傷風寒者感冐風寒其證鼻氣寒流清涕惡風聲重重者或頭疼身熱輕者則否傷風熱亦感冐風

寒。其證鼻氣不甚寒與流清涕。或聲啞。甚者痰壅氣喘。總宜發散清利。忌補氣酸歛閉氣。風寒宜辛溫甘溫藥。用細辛藁本芎藭荆芥防風白芷前胡桑白皮杏仁紫蘇薄荷杏仁甘草石膏山查麥芽之類。風熱宜辛寒甘寒藥。用竹葉石膏麥冬知母桔梗。薄荷。前胡。葛根。桑白皮。甘草。山查。麥芽之類。皆輕證也。治則輕揚之。輕瀉之。（揚之卽發散　瀉之卽清利）不可用重藥。重藥者何。發散中麻黃桂枝之類。清利中之黃連黃芩大黃朴硝之類是也。若誤以爲重而用重藥發散之過勢必引皮膚而傳經絡成外感之證清利之過勢必陷臟腑而損榮衛成內傷之證風寒不可用竹葉麥冬知母葛根之類以其甘寒止可佐風熱之發散而不可以甘寒益風寒也風熱不可用細辛藁本芎藭荊芥白芷之類以其辛溫止可佐風寒之發散而不可以辛溫益風熱也誤用甘寒益風寒則寒氣愈閉辛溫益風熱則熱氣愈閉皆可蘊結成外感重證用山查麥芽者非爲其傷食也以其寒熱爲風所閉則平常所入

之飲食皆滯而不化因而爲祟故導之使出傷寒裏證結毒亦非傷食乃寒熱之氣閉致飲食不化其勢重力厚十倍傷風寒熱之所閉故用承氣湯非山查麥芽之可輕除風熱有多因酒後風邪所乘而致可取葛花解醒湯摘用如豆蔻砂仁青皮陳皮之類以和解之蓋酒性熱而凝非辛溫莫能和解又不可泥豆蔻砂仁之類犯辛溫廢而不用致凝爲痰爲血也

傷寒初證與傷風疑似比類分別

寒爲百病之總風爲百病之長其勢相因惟傷寒初證與傷風髣髴疑似不必據脈抉奥但淺説比類兩證逈别較若列眉寒乃陰邪風乃陽邪傷寒初起手足微冷傷風初起手足微煩傷寒鬱而後發熱傷風卽能發熱傷寒鼻乾無涕傷風鼻寒流涕傷寒聲前輕後重傷風聲重如自甕中出傷寒初起無痰傷風甚者有痰壅咽喉傷寒口渴而乾其舌本枯燥傷風口渴而不乾其舌本不枯燥傷寒渴甚貪飲到口卽乾傷風渴不甚亦不貪飲飲

到口卽潤傷寒遇食惡而不欲見傷風遇食不好亦不惡傷寒面慘身痛傷風面光身重傷寒無汗惡寒不惡風傷風有汗惡風不惡寒傷寒雖不惡風而沉沉惡寒之中亦惚惚惡風傷風雖不惡寒而洒洒惡風之中亦嗇嗇惡寒傷寒初起卽頭痛傷風初起不頭痛久而重者頭痛傷寒頭痛連眉稜眼眶盡痛傷風頭痛不連眉稜眼眶傷寒遍身骨節頭痛傷風身不痛傷寒頭痛晝夜不間傷風頭痛乍痛乍止傷寒發熱而神氣恍惚傷風發熱

而神氣安靜傷寒不能假寐傷風假寐猶安蓋傷寒陰邪陰淡而發乎陽其勢重傷風陽邪陽淺而發乎陰其勢輕（此陰陽俱就外至之風寒言非三陰三陽之陰陽也）誤以傷寒爲傷風而治以驅陽邪之劑不獨不能驅陰邪且引陽邪入陰分而傳變矣以傷風爲傷寒而治以驅陰邪之劑不獨不能驅陽邪且引陰邪入陽分而傳變矣陽邪入陰分其發散力不及不能搜出陰邪之寒而反開玄府以迎風入（玄府汗空）致滋陰邪汗證愈重（謂當汗之證愈加重也）陰邪入陽分其發散

力太過不合乎輕揚輕瀉之劑使陽邪之風直透入玄府以迎風入亦致滋陰邪實者遇之爲風證愈重或中風或久後爲風痺風痿諸證虛者遇之爲陰厥等證分別一誤禍如反掌不可不慎

傷寒本受寒而標發爲熱病乃寒盛生熱也其三時見證或證不合時或證合乎時有正

傷寒溫暑之分治法隨異

素問四氣調神論曰逆冬氣則水陰不藏腎氣獨沉又曰水氷地拆無擾乎陽又曰去寒就溫無泄

皮膚使氣亟奪霜降之後春分之前天氣嚴寒人或七情受傷或居處不密或衝斥道路履霜踐雪感而犯之卽發爲病名曰正傷寒若不卽發而寒邪久客加以房室勞傷與辛苦之人腠理開泄少陰不藏腎水涸竭無水則春木無以奉生故發爲溫病若復不發延至於夏火威克水眞水不足寒邪益盛故發爲熱病若復不發延至於長夏土氣旣旺以絕水之源而寒邪之陰皆從火化故發爲大熱病其名因時而立有冬寒春溫夏熱長夏大

熱之不同。其實皆熱病也。本經熱論曰。今夫熱病者。皆傷寒之類也。又曰。人之傷於寒也。則爲病熱。本經水熱穴論。帝問人傷於寒而傳爲熱何也。岐伯曰。夫寒甚則生熱也。是以傷寒初起。手足微冷。未見標而先見本也。先傳於三陽。陽爲熱之屬。本之見乎標也。繼傳於三陰。陰爲寒之屬。標之反乎本也。傳於陽。自巨陽即太陽以入陽明。自陽明以入少陽。傳於陰。自太陰以入少陰。自少陰以入厥陰。奶巨陽者。巨陽爲諸陽之屬。其脈連於風府。故爲諸陽主氣寒甚生熱陰邪盛而發陽先從陽之盛者以發次第至於陽之少盛漸減而至於陰之盛次第終於厥陰厥者盡也爲陰之盡也一日傳一經陰邪待盡然後熱以次衰又復一日衰一日病乃愈則知傷寒之皆爲熱病也內經論傷寒標其目爲熱論故也然溫熱皆本傷寒其治法正須分別若春夏之發悉如正傷寒之證爲證不合時則從證不從時例以仲景傷寒法治之即天時溫煖炎熱仍用麻黃桂枝之劑以發其沉鬱寒邪春之

溫煖近寒不必言如夏之炎熱禁忌麻桂用之不爲犯也如春分後有太陽病發熱欬嗽身痛口渴不惡寒其脉弦數不緊弦數者卽受春令之溫邪也緊爲寒不緊者未受冬令之寒邪也其發熱或怫鬱在內或散在諸經各取其經而治之爲證合平時則從證兼從時其法當取劉河間溫暑之劑隨證酌用不可槩用仲景傷寒之法葢傷寒無全書河間本補仲景遺亡非不遵仲景也傷寒之劑辛熱辛溫居多溫暑之劑輕調緩淡清暑濕解和

平火奪寒并甘温補榮其發散止用辛凉而不可用辛熱平温以其未受寒邪也是以不惡寒即間有惡寒者乃冐非時暴寒或温暑將發又受暴寒非冬證之甚也法當治裏熱爲主而解肌次之亦有專治裏而表自解者誤下猶可誤汗則變爲嘔噦狂斑而死蓋温熱在經而不在表安可例用傷寒汗法惟兼暴寒者乃可表裏雙解亦不敢用冬月辛温之藥

傷寒正傳三日未滿之前邪在表可汗三日

已滿之後邪在裏可下邪去病愈不過十日

已上否則死在七日之內

素問熱論曰傷寒一日巨陽受之故頭項痛腰脊强二日陽明受之陽明主肉其脈循鼻絡於目故身熱目疼而鼻乾不得卧也三日少陽受之少陽主膽其脈循脇絡於耳故胸脇痛而耳聾三陽經絡皆受其病而未入於臟者故可汗而已四日太陰受之太陰脈布胃中絡於嗌故腹滿而嗌乾五日少陰受之少陰脈貫腎絡於肺繫舌本故口燥

舌乾而渴。六日厥陰受之。厥陰脉循陰器而絡於肝。故煩滿而囊縮。三陰三陽五臟六腑皆受病。營衛不行。五臟不通則死矣。其不兩感於寒者。七日巨陽病衰。頭痛少愈。八日陽明病衰。身熱少愈。九日少陽病衰。耳聾微聞。十日太陰病衰。腹減如故則思飲食。十一日少陰病衰。渴止不滿。舌乾已而嚏。十二日厥陰病衰。囊縱少腹微下。大氣皆去。病自已矣。經文之言。巡經正傳。明白直捷。今再申言之。足太陽膀胱經之脉。起於目內眥。上額交巔。從巔入絡腦還出別下項循肩膊內挾脊抵腰中惟其經脈如此所以頭項痛腰脊强膀胱氣血之會自頭至足無所不主故寒邪先犯之傷寒一日巨陽受之者此也仲景云尺寸俱浮者太陽受病當一二日發一二日猶云非第一日即第二日以其介於兩日之間也葢傷寒證本當一日即發因差遲一日故退第一日爲二日第二日爲三日第三日爲四日第四日爲五日第五日爲六日第六日爲七日第七日爲八日其實縮而上之第八日即第七日也舊註皆不曉此義以爲傷寒定以七日爲期故一日兼言二日夫一日傳一經而可兼言二日乎背經之甚矣陽明胃經屬土主肉脾主肌肉胃爲表裏故同其脈挾鼻絡於目所以

身熱目疼鼻乾而不得臥胃氣流行無息自鼻腹至足皆其所主故太陽行督而交任必及於陽明傷寒二日陽明受之者此也仲景云尺寸俱長者陽明受病當二三日發日數解見前少陽膽經其脈循脇絡於耳所以胷脇痛而耳聾清氣流行營衛脇肋身側皆其所主故胃邪必移於膽部傷寒三日少陽受之者此也仲景云尺寸俱弦者少陽受病當三四日發此則三陽經絡皆受其病而未入於三陰之藏者可汗而已已者病勢之止也若此時

失之於汗表證不除則傳入裏太陰脾經之脉布胃中絡於嗌所以腹滿而嗌乾五臟脾爲死陰至靜不動雖云主化其所消食者全賴胃氣升降故自少陽脇肋下肚腹宜乎先入太陽傷寒四日太陰受之者此也仲景云尺寸俱沉細者太陰受病當四五日發少陰腎經之脉貫腎絡於肺繫舌本故口燥舌乾而渴腎主受米穀之精而至靜惟子時濁氣一動而已故自中腹移至臍腹必及於腎傷寒五日少陰受之者此也仲景云尺寸俱沉者

少陰受病當五六日發厥陰肝經之脈循陰器而絡於肝所以煩滿而囊縮肝主散血藏血而極其凝靜者故入裏之淺至於小腹下至陰器乃爲陰之盡故曰厥傷寒六日厥陰受之者此也仲景云尺寸俱微緩者厥陰受病當六七日發斯時也皆三日已滿之後可泄而已令其病勢之止若未滿三日之前既失之汗而已滿三日之後復失之下則三陽三陰五臟六腑皆已受病營衛不行五臟不通其人必死其死皆在六七日間者此也此由

六經正傳原非兩感於寒爲必然之證因失之汗下使三陰三陽病其勢與兩感相同耳若三日未滿之前失之汗三日已滿之後及早下之則六經傳盡自應病勢漸衰正以初時所感之邪太甚以次相傳亦以次而愈在十日已上

傷寒變傳逐一分別

李東垣曰太陽病若渴者自入於本也名曰傳本太陽傳陽明者名巡經傳太陽傳少陽者名越經傳太陽傳少陰者名表裏傳太陽傳太陰者名誤

下傳太陽傳厥陰者各巡經得度傳陶節菴曰或自太陽始日傳一經六日至厥陰而愈者或不罷再傳者或間經傳者或傳二三經而止者或始終只在一經者或越經而傳者或初入太陽不發熱便入少陰而成陰證者或直中陰經者或兩經一經齊病不傳而爲合病者有一經先病未盡又過一經之傳而爲併病者有太陽陽明合病者有少陽陽明合病者有三陽合病者若三陽與三陰合病卽是兩感變傳之綱二公舉之其所以然之故

未分晰也傳本者第二日當巡經入陽明而不循經仍是太陽之證肰則卽謂之本病也可謂之傳者其病機當變必不止於本病本經矣巡經傳者卽正傳肰正傳必六日六經次第始終不紊乃爲正傳今自太陽傳陽明方得一經之巡後此之變未定故姑以巡經名之越經傳者謂第二日不巡經踰越陽明而入少陽也表裏傳者太陽膀胱與少陰腎本表裏今不循經而入只以表尋裏也誤下傳者陽經本先循上今不循經錯誤而傳於下

也巡經得度傳謂太陽本不巡經而能遍歷諸經超而度越之非自陽明以至少陽三陰而入爲巡經也若果巡經則不謂之變傳矣或自太陽始日傳一經六日至厥陰而愈者即正傳不罷再傳無是理也素問熱論與仲景傷寒論原無此例因成無已註釋之謬而後人遂因之蓋三陽爲表三陰爲裏自太陽以至厥陰猶人入戶升堂以至於室矣若使厥陰復出傳於太陽奈有二陽二陰以隔之豈有遽出而傳之太陽之理蓋初時所感之邪

太甚雖正傳遍六經其餘邪自當漸次衰而病愈故素問熱論以七日至十二日漸次而衰而愈衰字之義甚妙以其病勢盛後而衰則非再傳可知且經云大氣皆去病日巳矣麤工謬以爲再傳再用汗法重竭之爲禍不小間經傳者如太陽不傳陽明而傳少陽或陽明不傳少陽而傳太陰或少陽不傳太陰而傳少陰或太陰不傳少陰而傳厥陰與越經傳有辨越經傳止就太陽一經傳少陽言之傳二三經而愈者或太陽傳陽明而止或傳

至少陽而不入陰經有表邪而無裏邪也始終只在一經者不傳也或太陽一日至六日或陽明一日至六日或少陽一日至六日三陽表證有此裏證無之蓋裏證則爲直中陰經其勢甚重不能待一日至六日也越經而傳者單爲太陽傳少陽言非謂別經別經則間傳者是也初入太陽不發熱便入少陰而成陰證者有似乎表裏傳以不發熱爲異表邪陷入於陰也直中陰經者無表邪而有裏邪也兩經三經齊病不傳而爲合病者或太陽

陽明合病或太陽陽明少陽合病或陽明少陽合病單舉表證不言裏證者以裏證三陰雖逐經傳其勢多相因隱隱爲不傳合病也合病必相連而不間謂太陽必與陽明連之例不間斷陽明而同少陽也若間則爲間傳一經先病未盡又過一經之傳而爲併病者雖不同於合病之不傳齊病而一經未傳盡復傳一經亦幾於合病矣或太陽未盡而傳陽明陽明未盡而傳少陽少陽未盡而傳太陰太陰未盡而傳厥陰太陽陽明合病少陽陽明合病三陽合病見上文

陶氏申言之者以合病表證居多故耳三陽與三陰合病此傷寒之極證無以加矣然言兩經三經合病應有四經五經合病而皆爲兩感特不如六經合病爲兩感之甚耳

傷寒變傳分別前項病證治要方藥活法

正傳證易辨治法亦易變傳證難識治法亦不易故立分別治法且雜證不必立方惟傷寒必用方印定然後活法隨人傷寒驅邪仲景大劑如大青龍湯麻黃六兩桂枝二兩甘草一兩杏仁四十枚生薑三兩大棗十枚石膏如雞子大以及麻黃桂枝各湯俱每用數兩之類陶節菴畏仲景峻方減爲小劑然病感有淺深體氣有厚薄

未可泥峻方小劑在人之善用耳今以各證諸方列於本條或有加減皆隨證酌之以便依規矩用巧記述此書惟傷寒法中最費心力時日務求精確以廣吾師活人之龜鑑也

傳本者太陽本病發熱惡寒頭痛項強腰背遍身骨痛今復作渴溺證因未汗而誤滲使邪閉於外津竭於内其脈浮緊大青龍湯或羌活湯主之大青龍湯麻黄六兩去節 桂枝二兩去皮 甘草一兩炙 杏仁四十粒去皮尖 大棗十枚去核 生薑三兩切片 石膏雞子大 水九升先煮麻黄減二升去沫納諸藥溫服一升取微汗得汗停

後服此仲景原法也雖大劑而得微汗即停後服止服一升而已則仲景亦未嘗峻也以此可類推羌活湯羌活三錢前胡葛根各二錢杏仁九粒去皮尖研爛生薑三片大棗二枚量加紫蘇葱白得汗止服

循經傳者爲發汗不徹利小便餘邪不盡透入於裏其脈數急其證身熱目痛鼻乾咽乾嘔或乾嘔目瞤瞤不得眠畏人聲木聲畏火不惡寒或先惡寒不久旋發熱即惡熱甚則譫語狂亂循衣摸牀脈洪大而長宜急解其表竹葉石膏湯主之竹葉十四片石膏五錢人參二錢麥門冬一錢五分半夏一錢甘草七分

粳米一撮大水煎入薑汁二匙調服如證未解再用三倍大劑與之不嘔無汗與葛根湯亦須大葛根三錢麻黃二錢芍藥一錢五分桂枝一錢甘草八分薑三片棗二枚溫服取汗此原等分大劑量加得汗停服蓋太陽證當用麻黃而不用反誤用葛根以引之今已到陽明則葛根不可廢也若表證已罷邪結於裏大便閉小便短兼腹中痛此爲胃家實熱正陽陽明之傳變也其脉必洪實調胃承氣湯或小承氣湯主之調胃承氣湯大黃四錢芒硝三錢甘草一錢水二碗先

煑甘草次下大黃次下芒硝溫服若脉洪實而兼
澁緊陰不足也宜加當歸小承氣湯大黃五錢厚朴
枳實各二錢得利停服
越經傳者太陽證見後不見陽明證而見少陽證
口苦咽乾目眩往來寒熱胸脅痛胷滿耳聾脉法
絃細頭痛發熱少陽不可發汗發汗則譫語胃和
者自愈不和者則煩而悸此事難知曰爲原受病
脉浮無汗當用麻黃而不用反誤用柴胡以引之
今已到少陽則小柴胡湯不可廢也柴胡三錢黃芩

二錢人參一錢半夏一錢甘草四分薑三片棗二枚水二碗煎七分溫服若三日少陽脉小者欲已也

表裏傳者太陽證見後不見陽明少陽二證而見少陰證口燥舌乾此事難知曰為得病急當發汗而反下汗不發所以傳也蓋見太陽之證宜急用麻黃以散其寒邪而不至陷入於裏今既陷入於裏三陽之表邪拂鬱於外少陰之裏邪變作於內其脉尺寸俱沉以沉實有力糞結宜下有燥糞挾熱下利宜下腹痛下利小柴胡湯見前加芍藥炙甘

草以和之如便膿血加滑石黃連佐以升麻乾薑如邪未入裏糞猶未結宜淸其熱渴者用竹葉石膏湯見前白虎湯解之石膏五錢知母二錢甘草六錢粳米小半合水煎溫服不渴或心下痞者從心下至少腹鞕滿而痛手不可近大結胸也大陷胸湯主之大黃三錢半水一碗先煮大黃至七分入芒硝二錢再煎一二沸去柤入甘遂末一錢和勻溫服若腹中不動再進一服得快利止後服但此藥太峻不可輕用酌用大陷胸丸大黃三錢杏仁葶藶各一錢芒硝二錢五分

甘遂一錢爲末蜜丸彈子大每一丸水一碗煎至六分溫服至一宿未動再進一丸以利爲度不渴心下痞熱結胸中按之則痛小結胸也小陷胷湯主之半夏二錢黃連三錢括蔞實一枚水二碗先煮括蔞減半去柤納半夏黃連煮七分溫服利黃涎沫即安如不安再進或加桔梗枳殼黃芩以利爲度心下痞硬滿引脇下疼乾嘔短氣不惡寒及裏水身涼者十棗湯主之芫花醋浸炒大戟甘遂煨等分爲末水一碗煎至半碗去棗調末二錢弱者減半或減

大半服後大便利下水以稠粥補之此皆失於不汗而誤下之早使水停蓄於胸脇腹間也或邪未結於下焦少腹不堅痛而誤用承氣以伐真陰洞泄不已元氣將脫其脉沉而無力法宜溫補理中湯合小建中湯主之人參白朮乾薑各二錢甘草一錢半溫服小建中湯白芍五錢肉桂三錢甘草二錢飴糖半盞薑五片棗四枚水二碗煎七分去渣入飴糖烊化溫服如不止去飴糖加升麻柴胡葛根以升提之若右腎沉微甚者加附子三分薑汁磨木香一分

誤下傳者此事難知曰爲原受病脈緩有汗當用桂枝而反下之當時腹痛四肢沉重夫傳少陰亦誤下傳獨以傳太陰爲誤下者以下藥入於脾脾受虧損且當汗而反下以未見裏證而有表證雖誤猶俱除邪但當治表而不當治裏耳若脈緩有汗表邪已除當用桂枝和其榮衛以止其汗緩者脾之本脈此裏不受邪其汗者陰之虛也用桂枝和之後且當溫補以救其虛腹痛者虛痛也脾主四肢其四肢沉重者陰虛而見於末也東垣以扶

土爲主。故於此更加謹戒也。且原脉緩有汗。令復誤下。必無本證之腹滿嗌乾。其脉必沉緩微遲。其證必自利手足冷。宜治中湯四逆湯主之。治中湯即理中湯見前加青皮陳皮等分。四逆湯附子三錢乾薑甘草各一錢五分。心悸有水頭眩。筋惕身瞤動振振欲擗地者。由發汗過多。兼以渴飲水盛。停留中脘。玄武湯主之。白朮一錢白茯白芍附子各三錢薑五片水一碗半煎七分。溫服以安爲度。

巡經得度傳者。太陽經傳厥陰也。此事難知曰三陰不至於首唯厥陰與督脈上行與太陽相接肰其旨未明蓋厥陰與督脈上行與太陽相接俱會於風府厥陰主風風引陽陷入於陰故煩滿囊縮在女子則陰户急痛引小腹煩滿者陰風搏表邪其氣不得舒也囊縮者風引而急使之肰也或下利譫語內有燥矢痞滿燥實俱具者攻之宜峻大承氣湯主之大黃芒硝枳實厚朴等分水二碗先煎枳朴減三分下大黃煎一二沸去柤下芒硝煎一二服得利停服痞滿不甚燥實者小承氣湯主之見前有血燥

桃仁承氣湯主之大黄四錢桃仁三錢桂枝芒硝各二錢甘草一錢水二碗先煮桃仁桂枝甘草次下大黄煎數沸次下芒硝溫服以下出黑糞瘀血盡爲度或用抵當湯䖟虻去翅足炒黄水蛭微火炒桃仁各十枚大黄三錢用水一碗半煎七分溫服若但小腹滿而便利者抵當丸緩下之水蛭桃仁各七枚䖟虻八枚大黄八錢爲末蜜調分作四丸每一丸水煎化溫服以血盡爲度或下利清穀大汗出而厥四脂疼小腹拘急或乾嘔吐沫或氣衝心痛發熱消渴皆厥陰寒證

也宜四逆玄武加減溫之蛀蛔而厥者安蛔理中湯即理中湯加茯苓一錢半烏梅三箇水煎溫服如大便閉加大黃少許入蜜以利之口渴加括蔞根以愈爲度

間經傳者太陽不傳陽明而傳少陽雖曰即原病脈浮無汗當用麻黃而不用之故肰亦有陽明不受邪者其胃家無實熱不必用下單用和而可已故爲小柴胡少陽證不盡越經傳用藥之過也何也若盡越經傳用藥之過則止太陽不傳陽明而

傳少陽耳乃各有間傳矣陽明不傳少陽各經乃傳少陰者爲少陽不受邪此必脾胃之實熱相爲表裏其脈必弦實而滑數須用下法必無當溫之脈證有當溫之脈證必在直中陰經少陽不傳太陰而傳少陰爲太陰不受邪雖無太陰之腹滿嗌乾證而耳聾胸脇痛頭痛口苦咽乾目眩往來寒熱嘔吐之後少陽證罷即舌乾口燥蓋少陽之火傳於少陰之火少陽膽木少陰腎水此俱言火者以傷寒本熱證五行皆化爲火耳爲腎燥更盛加以太陰之土燥未發洩而統歸於腎使水土俱兼

火化其脈必沉實有力須用下法必無當溫之脈證有當溫之脈證必在直中陰經此傳隔於太陰其少陰之口燥必致咽痛咽中生瘡聲不出未下時先用雞殼苦酒湯開咽到咽即効半夏十四枚用雞子留白去黃以苦酒入雞殼內置刀環中安火上煑三沸去半夏相少少含嚥作三次服此惟嚥中生瘡聲不出合少陰證方可用若咽證與失聲音種種治法不一不可泥

太陰不傳少陰而傳厥陰此少陰不受邪也雖無少陰之舌乾口燥而太陰之燥土傳之肝火為厥

陰之煩滿囊拳加以少陰之燥火未發洩而統歸於肝其脉必沉實有力須用下法必無當溫之脉證有當溫之脉證必在直中陰經下法選諸承氣湯用之大承氣湯小承氣湯三一承氣湯調胃承氣湯桃仁承氣湯是也

傳二三經而愈者必傳陽不傳陰有表邪而無裏邪其表證亦必不重或用藥驅之力其邪大散所以不傳裏竅不可誤用裏藥須靜聽其瘥或有瘥證隨證調理自愈

始終只在一經者或太陽一日至六日或陽明一

日至六日或少陽一日至六日此由病證本重而
庸工不知仲景峻法識淺膽小用藥驅邪之不力
致遷延也治法仍宜隨經隨證重驅之汗吐下和
解皆肰和解亦言驅者和解有扶正而驅邪居多此爲活法
初入太陽不發熱便入少陰而成陰似乎表裏傳
而非表裏傳也蓋發熱傳少陰緣失之未汗而下
陷入於裏不發熱者亦必失之未汗非下藥引之
太陽者老陽也此陽盛變少陰故度越陽明少陽
太陰而入其陽明少陽太陰三經之燥統歸於少

陰其脈必沉實有力須用下法稍遲則病機變爲重身寒厥冷其脈沉實而兼洪數按之鼓擊於指下非眞寒也爲陰陽隔絕九死之證急用三黃石羔湯主之黃芩黃連黃柏山梔各二錢麻黃一錢半石膏五錢香豉三錢水煎溫服得汗則痊便閉用陶氏三黃巨勝湯即三黃石膏湯去麻黃豆豉加芒硝大黃薑一片大棗二枚煎出去柤入泥漿水三匙調服

直中陰經者見三陰實證其脈沉實有力此爲三陽之燥未發洩蘊藏於三陰必重劑解之汗吐下

和解皆肤其證見三陰之虛其脈沉微無力法當溫之又有已得外盛方將傳經輕生者或被生冷或犯房事或麤工猛施汗下真氣衰弱遂變爲陰證發之則重竭其陽溫之則重實其邪法當溫汗兼用麻黃附子細辛湯主之麻黃細辛等分熟附子半枚寒甚者一枚薑五片大棗二枚溫服取汗至足乃愈

兩經三經齊病不傳而爲合病者三陽合病隨證察脈此證自利居多而脈仍洪大沉實滑數爲寒邪甚而裏氣不和雙解散主之滑石三錢甘草二錢桔

梗石膏黃芩各一錢荊芥白朮梔子仁大黃麻黃連喬芒硝各五分薑三片葱白五寸淡豆豉一撮水煎溫服欲吐則吐欲下則下欲汗則汗表裏俱解故云雙解也若罷後脈大而虛上關上但欲睡眠目合則汗用百合一兩麥門冬五錢知母二錢炙甘草一錢鼈甲童便浸去裙炒黃三錢白芍藥炒二錢若腹滿身重譫語遺溺白虎湯見前加百合主之太陽與陽明合病本太陽病因汗下滲亡津液胃府燥實轉屬陽明謂之太陽陽明脈浮而澀大便鞭小便數不可用承氣以重損

其津液其脾爲約法當潤利麻子仁丸主之又名脾約
丸 大黄枳壳厚朴芍藥各五錢 杏仁二錢 麻子仁一兩 蜜
丸如菉豆大每三十丸温湯下本少陽病因汗滲
熱入胃府大便燥者法當微下大柴胡湯主之柴
胡三錢 黄芩芍藥枳壳各一錢 半夏一錢半 大黄三錢 薑
三片 棗二枚 水煎臨熱入大黄煎二三沸温服得快利
停服本少陽證當用小柴胡而誤汗爲少陽陽明
是小柴胡變爲大柴胡也若陽明本經熱盛傳入
胃府謂之正陽陽明乃本經自病固當用承氣主

之表證頭疼惡寒未除爲太陽尚未過經猶宜發汗太陽陽明喘而胸滿者麻黃湯合葛根太陽少陽麻黃湯合小柴胡湯（諸方俱見前）通用白虎湯（見前）九味羌活湯加減羌活（二錢）白芷黃芩生地黃蒼朮（各一錢）防風（一錢五分）川芎（一錢）細辛甘草（各三分）薑（三片）葱白三寸水煎熱服

一經先病未盡又過一經而爲併病者或前經之邪盛而未盡以接引後經或後經之盛而方張以接引前經須定其日子從其盛者治之如一日當

太陽未滿一日而卽陽明則爲陽明盛以接引太陽法當從其盛者治之治陽明爲主而兼治太陽也如巳滿一日巳傳陽明而太陽未罷則爲太陽盛以接引陽明法當從其盛者治之治太陽爲主而兼治陽明二日當陽明未滿二日而卽少陽則爲少陽盛以接引陽明法當從其盛者治之治少陽爲主而兼治陽明也如巳滿二日巳傳少陽而陽明未罷則爲陽明盛以接引少陽法當從其盛者治之治陽明爲主而兼治少陽餘經倣此其湯

頭各焮本經應用者主之而隨經隨證加減

三陽與三陰合病爲兩感其證表裏臟腑俱病欲表之則有裏欲下之則有表欲雙解之則恐犯陰證（兩感者必內外兩傷故恐犯陰證）表裏臟腑既不能一治故死

兩感者不治依古人法用大羌活湯救之用此間有生者十得一二防風防巳獨活羌活黃芩黃連蒼朮白朮（各三錢）細辛甘草（炙各五分）知母川芎地黃（各三錢）水二碗煎至一碗半去柤熱服不解再服病愈則止若有餘證並隨經法參治之然所禀有厚薄所

感有輕重深淺薄者感重而深必死厚者感輕而淺猶或可治則羌活湯亦治寔之劑虛者投之則芩連知母之苦涼羌獨細辛之耗散適足爲害耳余謂如果係實證則用大羌活湯如係虛證萬萬不可投劑若審其屬陰居多勉强用劑則以四逆理中合麻黄桂枝之温汗兼行先救其陰使之寔看其變證或歸何經或作何雜證隨議治法此古法之所未有今於百無生機中求其一綫若不中病勿責治者之誤

醫

卷之三

祝茹穹先生醫驗

楊靜山乃郎九搏患胃痛逆氣上衝每晝夜痛數十番。昏眩欲絕。諸醫無可如何。茹穹予視脉曰。此症起於水火相搏。肝經之火時發。胃經寒邪應之。火與水皆戰於中脘。其疼遂不能忍。晝夜數十番者。火性最烈。發則頭暈地而後已。尅以水。遂眼直卒倒。纔得甦而水火又戰。是以數數發也。用石膏一兩煎水二碗。又生磨木香黄連枳殼。俱不用熟煮。入硃砂少許。煎湯冷服。服藥當必更疼。加蜜水一鍾。大便中出黃白色。如蛋大硬極者。黃火白水也。再劑加琥珀水少許。而病全瘳矣。木香黃連平肝火。非生磨不能潤下。非得石膏。無以殺炎上之勢。水火和而病退。理固然也。

呂宮蒼忱甫記

家弟德藻乙未北歸。患奇症。有七。頭目昏眩且疼。一也。胸膈飽悶時作疼。二也。飲食不下。即下亦少許停留。三也。多痰咳不出。咽喉乾。四也。怔忡五也。脾胃虛弱。或澀或瀉。最難調理。六也。腰背有時作疼。兩手痠麻。兩足艱於步履。七也。茹穹子視其脉曰。臟腑七症。皆客於胃。胃之中。結有七塊。每塊主一症。三塊黑色。四塊黄色。皆如雞卵大。諸藥不能入。當用大黄。德藻大駭。以爲每日服參歸。尚不能支。况剝削之藥乎。且向日曾服大黄四五分。受數月之累。今病勢已久。如何服此。茹穹子曰。但信服病可愈也。服大黄豈惟不瀉。幷不作疼。三日去其黑。七日去其黄。當全療矣。究其故。以大黄入胃。破一塊而大黄力已盡。七劑破七塊。亦復如是。遂無暇作瀉作疼。而諸患皆瘳。七日以後。即一分大黄。不可服也。此家弟所患之症奇。而茹芎子用藥之法。亦最奇者。

吳偉業駿公甫記

潤州邑侯張康侯患一症。遍覓醫家。每日服藥。無論不能療病。欲求一夕之安寢不可得。先是太夫人夜得夢。有神人與語。爾兒到任得奇疾。爲患甚重。因泣拜求療。曰當有祝靈官爐內藥。可以療之。及到任復得一夢。見康侯在一孤城。被賊圍困。四面環繞。皆洪水。正在危急。有一人云有祝僊人卽東南角來。爲汝解圍。先生至胗脉曰。此心主被圍之症也。心脉全無傷。當得之一驚再驚。而膽汁傾三之二。肝藏膽。已出之汁爲毒。毒入肝枯。是以遇事戰怯。觸境惱怒。心血先傳肝。肝枯血不即行。其血挾毒而化爲水液。遂環心而攻。而包絡皆毒水。譬如孤城被困。雖有智勇。不能展施。爲今之勢。當先爲爾解圍。康疾霍然起曰。夢中神言何奇驗至此。城被賊困。心受毒圍。城外洪水。即包絡經之毒。

環心而攻。解圍之言。與夢中無二。製藥與服。則硝石硫黃青礬茯神皂角刺黑枳實也。又三六九臨睡時服藥。用人參牛黃硃砂琥珀生磨。以熟煮金湯調服。康矦向苦中膈作脹。上與下竟成兩截。今纔服藥而氣上下作響。卽覺飲食有味。向每一臨事卽煩躁不能耐。胸中朗然。欲作書而舉筆不能出。今精神日旺。筆能如心。二年來不能一覺睡。今服藥六日。卽得美寢。自覺神來舍。魂歸膽矣。究藥之妙。以硝黃等破氣引水。水性寒。因以熱攻。而角

刺助攻其毒不能容因有一塊雞子大青綠色堅如鐵躍出喉間而毒去水歸於腎汁歸於膽心主得自由漸復其舊矣

許之漸儀吉甫記

張玉甲先生提督江南學政患症四月不起身體瘦弱諸藥不効又素有臟痔因病發更疼時醫認作虛症多服補藥不能宣通火遂炎上入眼作眩入耳作鳴迴復及心不能睡偶一起坐便昏暈先生視脈曰勢雖極重仍是易療者一劑可起坐三劑去耳

鳴得安眠。五七劑可視事。所謂無根之火也。如憂愁歡樂惱怒焦勞。諸火種種無根。火既內塞。卒然飲食。真氣不展。諸症並作。況兼勞心耗血。心血既枯。君火更發。無對症之藥以疏之。其能免於火炎體瘦。坐即昏暈乎。藥用玄參以去三焦無根之火。童便炒山梔仁以凉心腎。而加以茯冬潤燥。數劑收功矣。

邵汝懋晁仲甫記

王雲山先生撫院大廳患症。先生視脉曰。據脉無病。然何以頭疼至不可忍。此病當因夜飲。偶脫衣冒微寒。但用薑葱略表可愈。乃認作傷寒項强體疼。投以重藥。是感病原輕。而攻之過重。腑臟無所受。遂入太陽作疼耳。隨以蘇合丸一枚。化開令服之。語以當夜子時。太陽疼即解。次日大便通得全康。服後悉如言。蓋不用湯劑用丸者。以蘇合馨香之氣。通竅取效。許子時止者。計藥力六箇時而周。人但知病宜用藥。而不知病有不宜用藥者。醫道之所以微也。

戴吳悅心歸甫記

錢牧齋先生在昭慶寺。遇先生診脉酌方。平昔所患症。服藥全愈矣。近復患病。三月間先生看脉曰。此因心血過用。用而不得吾心。其血出者復回。回則路窒。遂作脹作梗。飲食不進。精液皆化爲痰涎。種種病從此起矣。大可慮者。心路有六。少時俱開。五十後開四。七十以後開三。不及此者皆凶。今柢開二。窒其一。亟宜用藥以開之。牧翁大悟曰。醫書從未言心路者。惟佛經有言心所。向叅不得其解。

闢路之說可知所之旨矣先生因爲製丸服月餘再至吳門先生指按而以爲開心路得三也牧翁亦自覺其果開而舊症脫體矣

宋德宜右之甫記

陸明農先生夫人即處實兄之尊慈也患一症最奇不安眠者二載不側臥者亦匝歲但合眼則心下有一股氣如煙直搶喉間作疼作響日羸瘦不堪遍請醫無解此者先生視脉曰此肝二葉有寒水而血裹水外血有火火在外肝木生之故先發

木助火升。而水性復下墜。故從下起而上搶於喉。腎水爲肝邪所引。則腰背不寧。喉金爲肝火所侵則氣息俱阻。宜乎其不能眠。并不能倒也。治此症者。煎藥總不効。奇病當用奇方。取長流水一壺。入白礬煎沸候冷。磨生木香白芍枳殼冲入礬水。服畢即眠倒酣睡矣。究其故葢以肝經邪水。亟宜木香白芍。而煎服則與火爲仇。且不能度喉。因生用以冷水吞之。則順流而下。以礬力沉之。則氣墜而安。但得過肺。木泄肝邪之水。血生肺竅之金。一劑而痊矣。

陳濟生皇士甫記

陳去亢先生方巡撫鳳陽時。得手足搖戰症。不能任事。歸里日益重。手搖于與人相接則更甚。諸醫無解此者。夫子視脉曰。此心血乾。中于膽。當得之以事驚心。而惴惴久不得解。觀其重在聞人語與見人時。知病根矣。服神寶丹三日瘳其半。因爲之習靜功。手竟能向後搔至背。向上摩至頂。眞奇驗也。

歐陽光縉麟玉甫記

吳泰巖與新任協鎮在宜春臺議事。臺最高。因兵役千餘人在上。臺忽崩折。泰巖跌樓下。被樑壓傷。斷其左脇一骨。并斷其右足膝圓骨。裂開二寸許。左脇骨傷。爲肺間通竅。此骨傷疼極。血阻不能飲食。并不能呼吸。諸藥總無效。自以不復生理。先生馳送丹藥一片。貼患處。其疼卽止。漸能通呼吸。能飲食。七閱日。其骨斷者復續。更酌方調治其膝骨斷二寸許者。漸合至寸許。又漸合至分許。數月後能行屈伸如常時。◯又泰巖署內有家人婦病篤氣絕將化紙買棺。先生與二九。令挖開口灌入一九不納。又半九纔過喉。即響至胸膈。須臾通氣即甦。有死塊鬱血。從大便出。而此婦再生。與二九者。知其有一九不納也。神哉。

田厥茂心耕甫記

左營叅府于在田患左脇邊有塊如拳大常時以手握之作水響。每發疼欲死。先生視脈曰。此由身陷水。飲水傷肺。中于呼吸之分。其水不能出。而痰裏水外。因之作響。與藥一丸。語以服藥後。當氣急筋跳。仍如發時疼欲死。而不能忍。過之。是其水毒破時也。飲熱薑湯一碗。水毒破卽安矣。晨起視之。其塊如失。以十數年重症。而一夕全愈也。異哉。

范　諟顧天甫記

宜春邑矦華遜愚患傷寒症。遍體痛而背與胸前如跌損不能忍。先生視脉曰。傷寒五六日不宜有此症。當由宜春臺崩折。風水之厄。應在官府。而遜愚以是日有事公出。倖脫此厄。然心內喜而實驚。

因受寒症。而驚者遂發。乘變而中於骨節。一如跌損狀也。以鎮驚調氣安神活血之藥。亦如治跌損。數劑而愈。由此知用藥入事也。而風水地脉相關。皆有通變不可泥者如此。

斯可學與權甫記

一鄉民患病倒臥不起。危在旦夕。鄰人趙念溪為之求藥。先生曰。此症易愈。只二劑可起牀。五劑可自來求藥。忽望此趙念溪面色。驚問曰。汝患何症。答以無病。但數日來微作嘔。先生視脉語曰。汝回家只宜靜坐。日喫稀粥。如嘔切勿食薑。又不可遠行。過七日汝症可療也。若食薑當頭眩舌裂。若遠行恐氣急跌倒。皆死候也。趙念溪亦是行醫者。以爲無故言死。笑而去。歸與病人言。勿藥果愈。越八日來謝稱神仙。因言趙念溪回家至三日。惡心欲吐。以自知醫用陳皮香附乾薑湯飲之。其嘔立止。而覺頭疼。至七日往親戚家貿易。半途陡發眩暈唇裂吐血。不止。以頭觸地而死矣。蓋以此入因傷寒病後。多食胡椒薑物。椒多傷血。新薑耗血。辛先入喉。其毒在肺。久必發嘔。是以忌葷。戒遠行者途間遇風。必不能避。風引毒發。勿能救矣。其他有平入正強壯者。視脉而許以某時當病。某時當死。又有病重已極。或將死者。而起之。而甦之。靡勿奇驗。弟子輩叩以故。先生曰。某時當病者。木蠹在內。某時當死者。軀殼空存。神理已盡也。病重當死而可藥者。此自不死之症。予但能起之耳。

蔣克顯天適甫記

李衛斯患重症。舉家惶怖。以危在旦夕矣。因乃胥王鴻軒。舊歲爲乃正患症。至郡中就醫得愈。而先生適至州。先生視脉曰。初患爲感冒頑痰症。塞於喉。醫家進以喉瘋藥。喉開而頑痰封。僅出涎少許。以爲體弱。進以參苓數劑。而頑痰益封。藥裹舊痰。新痰復裹藥。迷其心竅。遂至昏憒不省。用藥羌蠶全蝎大黄半夏膽南星數味。午刻服藥。至半夜破頑痰之塊。從大便出。而開目省人事。服藥三劑全瘳矣。

吳克孝會岡甫記

張鳳宇患症。先生視脉曰。此背系作疼而搐其陰筋。每發時遂至頭抵足。痛而欲死。給藥三劑。當使背之疼。移至心。而疼下於腹。至臍不可忍。兩箇時。化而爲水。從臍中出可療也。服藥三日。果心腹疼。臍中開一眼。出臭水碗許。而十年背痛不可忍之症。全療矣。

吳震行無眚甫記

黄文胤乃堂患中風症。手足俱不能動移。不起牀者數年。先生視脉與以藥五劑。云得出汗。其病可愈。服藥後至第四日。果得汗出而手能舉動。體亦輕爽足可伸舒矣。

吳世裔聖符甫記

陸定爾婦予長女也。患症久不起。近益重。慮其無濟矣。與先生道其病勢。先生曰。此不必視脉而已知爲産後傷寒頑痰症也。血裹痰。痰勢欲出不能而塞其脾生之路。諸醫認以爲虛。多用補而重傷。苦不能睡。晝夜痰涎不已。重以嘔吐發熱難堪。即進丸藥。纔一劑即得安寢。醒即索食。進粥湯一碗三劑而嘔吐不作，燒熱頓解，真回生之奇驗也。

王時敏烟客甫記

吳事衍向善飲，忽患症，每飲酒一杯，喫粥一碗，必停留中膈，閱半箇時，作嘔而出。先生視脉曰：此心血多用，爲物所奪，而酒毒耗其脾，治此症無難，三五日可開膈進食，加以大道，當得全功也。然進食以後，到底酒不多飲，戒酒調理，四季酒毒盡去，心脾復交，酒量可如前矣。服藥後悉如師言。

許升吉五階甫記

管元翼先生家。有女眷患病。先生往診脉定方畢。適有女巫在廊。稽首亦乞視。時未有現症也。先生曰。貌似無疾。脉當旦夕死矣。因謂管家人曰。巫且死。宜亟遣去。此有道行者。不必久臥牀。一熟睡卽逝矣。毋以吾言爲戲也。別後不兩日。巫果熟睡。不甦。比卽之已死。大奇大奇。

邵　默悟非甫記

家弟習之看戲夜歸。道經女宮。俄見冠帶者二八。滿帽者一入。環坐食飲。儀從甚盛。忽聞喝聲。捆拿習之遂倒地不甦。家人蹤跡擡歸。狂病七日不省人事。諸藥不効。亟懇先生視脉。曰。此感鬼邪。以茯神辰砂人中白煎湯嚾之。半晌囈語云。三位爺以祝仙用藥許解縛。若得來喚。可得還。其母與兄以誕語不之信。習之因泣曰。女宮西有古梅一株。枯竹數株。有大繩索。即吾弔處。時夜已半。其母冒爲祝先生家人往呼。遂甦。曰。吾歸矣。母大喜。因持祭禮到彼地酬神。習之復誕曰。神道以昨夜來換者。乃係自家人冒充。發怒責以多金往謝先生。且以一女鬼付爲妻。苦纒喉不得食。先生至臥榻。諭鬼亟去。乃愈。

陸運亨葵之甫記

先生寓臨江施藥。遇一孝子吳姓八歲喪父母病肓。患不能存活。欲他適。孝子泣曰。兒當樵採奉養不憚勞苦。每出卽向鄰人泣曰。求以一盂食母。拉柴償抵。二歲餘。其母大病幾死。孝子問醫不得道。經土地祠。値雨入問筶。大哭。俄見老人持杖出。因曰某爲母病請醫。敢問老伯如何可。老人以杖扣竹。再問再扣。孝子不解其故。雨霽。歸。見有買得藥者。云是祝翁處施藥得來。孝子心悟。亟入城丐藥泣拜。道故。先生付藥。且諭以多食竹瀝。孝子歎曰。老人兩扣竹者。仙師姓祝。藥又用竹也。尋愈。

田厥茂心耕甫記 湖西道

清江張鳳川不事生業。飲食皆取非其有。忽患噎症。二年餘所竊取來者。不復下咽。計無出。適家奉一鍾進士像。晨昏泣告。夜夢鍾神呼曰。所作非爲。特敬我是誠心。若能改行。當指生路。不則鐵鞭不汝赦。夢中發誓如命。恍惚引到一處。見一位仙師高座擺藥。儀從極多。叩首求藥。賜通月丸一服。甦後。次日遇有買藥者。引到師處。宛然夢中。付藥係通膈丸。夢見月字。其邊傍也。怪絕。

聶應井季緯甫記 宜賓

一廟祝夢中見本廟神。伏虎趙元帥升座。小鬼送簿檢閱。是歲應瘟疫死者。硃筆逐名喚過。至第四名。神忽閣筆曰。是名姚一。向亦知敬神。當有神醫救之。醒而識其簿名。未半載。前三名俱已亡去。姚

一果病重。鄰人爲姚一見師求藥。與服。果得延。廟

祝備述其異。

羅憲伋述若甫記　南昌

范遇吾一婢頗麗、私焉。其婦不能容。置之死。不一年此婦歸寧。房中空虛。守之者頗聞鐵鏈聲。女自母家回中途先遇一狐精。貌類伊夫。入轎求歡。他人不能見也。比入房。此怪盤旋不去。夜則有鬼持鏈搏擊。僅十閱日而神不守舍。昏暈欲死。內外親戚皆以寃鬼陰告所致。計無所之。請先生往視。未

及戶。婦大喜曰。怪已去。鬼亦出戶外。先生住七日。此婦全愈。第八日先生辭歸。纔離其家半日。而鬼怪一時叢至矣。怪讓曰。夙緣未盡。勾拿已急。快了事。鬼復讓曰。限期已過。欲兼程進方妥。欲再請師。女亦讓曰。祝仙人來已無及矣。是夕遂亡。

徐希時因之甫記　龍游

諟婦樊氏。因戊子江西變更。日夜入山避兵。至巳丑正月病傷寒。奇怪二十日。飲食不進。每晚申酉時候扯被碎衣。吽喊不絕。天明又昏迷不言。諸醫俱不下藥。肚腹腫大。兩便不通。口不入藥。諟祖遠珠聖師降壇。將艾火救在背脊。胼肩處。即口嗳喲一聲。仙云有毒在尾閭。急去之。見果有毒。其色黑。其堅如皮。刺之無血。割之不疼。剜去肉。直見腸。漸服藥三月。自後身體虛弱。小便寒冷。不幾日背脊骨穿胸前。痛甚。兩手不舉。兩脚冷痺。肚痛若絞腸痧。必急要用燈火燒背脊。用針刺脚股。紫血長射。然後稍止。又十日一發。經期阻塞。聞風畏寒。如此者四年。今以夙緣得遇先生。視脉曰。奇病也。此病入骨髓。製服之。三日而生紅光。胸中煖熱。快活如醉酒樣。前脚冷梗。今則伸屈自如。前之腹冷脚冷。今則和煖。前欲食不食。今則食飯覺恬。前之月經不來。今則對期。而肚疼背痛俱不發矣。又有一斗子三年前。因雨濕身病失音。服一兩、聲出病愈。又一婦人虛弱症。日夜吐痰不止。骨蒸不能飲食。服二兩亦愈。又一氣喘久哮極重者。服亦愈。此藥真神丹也。明礬四兩。明硫黃二兩。將二藥入礶內。用豆腐漿同煮一晝夜。取去豆腐等渣。其礶用慢火熬至乾燥。礶盛二藥。埋在地泥內。深四尺許。三晝夜取出。其礬硫俱化紫金色。最下一層有泥渣不用。茯神去皮三兩。淮山藥三兩。二味同在鍋內蒸晒。乾、露一宿透爲妙。當歸酒洗淨炒燥。四兩、白蒺藜酒浸一宿。炒燥四兩、烏藥三兩略炒。杏仁去皮尖焙乾一兩五錢。半夏用水浸一宿。次日入薑汁二兩。礬五錢。皂角刺切碎一兩同煑。多用水煎乾三兩。陳皮去白一兩。小茴香炒燥一兩。共爲細末。同礬硫用膠棗肉。丸菉豆大。每清晨鹽湯吞一錢

五分臨睡白滚湯吞一錢

范　諟顧天甫記　豐城

嚴陵一李老者年七十有四家貧多子患噎十餘年諸醫遍治罔効又且老自顧無生理先生酌方以梔子八兩童便浸白蒺藜八兩酒浸俱三日夜去梔子不用取蒺藜炒爲末以所浸之酒及浸童便對入蒸過調蒺藜末一二服卽納飲食服藥未竟進飯三器矣李老率子若孫輩二十餘人踵門來謝望見先生卽羅拜不休且泣曰餘年沉疴感

公再造。貧無以報。惟有叩首堦前。且令若輩世傳莫忘高厚耳。緣診得其受病之由。乃憂貧累。火鬱於心。自咽以下。一片鬱火阻遏。故不納飲食也。心與小腸表裏。心鬱則小腸屈曲之火並鬱。宜用梔子開鬱火。又以年老不敢徑用苦涼。是以取梔子之精華。既無苦涼之妨。而又得開導之利。童便辛涼。以酒濟之則溫和。蒺藜利便。與梔子之精華同用。加以蒸過則氣味融洽。服之鬱火自從小腸而出。火散鬱開。飲食自進矣。又一洪姓者。頸項强。左身正則面側面正則身易而側時時若回顧之狀食不能納以項頸偏外則咽喉之竅不直食非飲比不能委曲納也饑欲死見食惟涎每頓止以米飲延之先生診曰此由堅硬之痰結於氣食二管之間塞而迫之遂令轉拗用薑礬製南星童便炒蒼朮皂角刺三味末之數服而愈進食如故蓋南星化頑痰蒼朮能行痰中之氣皂角刺鑽入破堅堅破痰消氣順則頸項自正氣食二管自直耳夫噎症獨治心火與頑痰塞迫轉項此並前人未發

之旨。非診候之神。安能洞矚其微。而處劑之神妙乂其餘事也。

吳中瑛彥器甫記　蘭江

一鄉民王姓者。腦內作鳴。有時如爆聲。眼花時見異物。即妻子至亦認以爲怪。而喊逐之。唇裂舌破。幾不類人形。先生診脉。與以歸尾黃芪生地石菖蒲人參五味。各二兩。先用梔子仁四兩炒黑。入童便三碗煮汁二碗許。入前藥拌蒸透。露一宿。取出晒乾爲末。每劑二錢白湯下。纔進一劑。而耳爆聲去。三劑而認知妻子。八九劑而唇舌復完。舊症悉除矣。蓋諸醫認以爲火焚狂越。多用寒藥。不知此人富而操心。每事勞力。不暇飲食。塞心脾之竅。傷心脾之元。用歸芪參地補之。菖蒲開之。煑梔子之童便汁涼之。所謂陽虛宜於甘溫。而驟投以溫。必難於受。故用梔子汁。則投之輒効也。醫之神至此

曾　釗桐聲甫記　武進

一婦人年六十餘。寡而無子。貧甚。方苦無以爲食計。復患噎症。每日但進米飲湯半茶鍾。若喫即少

許不能下。即下亦吐盡方止。余先伯母之家人婦也。甚憫之。因以告先生。診曰是不難。三日可得進粥。五日可得進飯也。給藥與服。閱三日後。至余家與之食。果腹而去。並不苦格格矣。

楊廷鑑靜山甫記　武進

一鄉人患耳聾眼花。面俱青黑色。肚大擊之有聲。言語不能出喉。服藥總不効。絕食六日。將置棺。離城甚遠。其子來懇先生。告以病緣。先生曰此不必診脉。服藥二劑可復甦也。此必諸醫認以爲氣多。

用泄脾藥遂至斷其食管也經云氣有餘卽是火此謂在內之火不能出焰耳聾眼花火蔽也肚大有聲者火鳴也語不出喉者火噎也用川連一兩甘草節三錢煮汁一大碗入硃砂三分冷灌下纔服一二口卽能言服藥畢耳能聽眼能見三日其肚頓消

陸自巖友洙甫記　毘陵

田心耕先生如夫人患頭疼發熱遍身走痛數日不思飲食病勢日益重幷不能起牀先生診脉但

酌右二味。香附米蘇木皆用醋炒爲末。每服用燈草湯調吞三錢。服藥後如解繩索。不自知何以消也。緣醫家認爲血少。風乘虛。多用風藥。初祗頭疼。內無風而以風劑入之。遂通竅走痛也。用香附蘇木者。原是鬱症。婦人血爲主。鬱而不行。香附以行氣。蘇木以行血。醋炒者行速也。先生語曰。厥脉沉濇。復見芤。六鬱之內。見血與氣。得其解。不必多用藥。而効自速矣。

宛平金抱一仲升甫記

一鄉民患症夏月遍體發熱皮膚如熱鐵任人敲打總不疼冬月皮膚盡開裂即粘着衣服亦疼惟春秋差可時方六月先生診曰只服藥五日後當熱消身軟揉之知疼矣給五劑服藥一劑覺熱收於內三劑胸腹皮先軟五劑遍體皆冷汗汗後竟如平時奇効至此叩以故先生曰此命門火衰之變症夏月水內火外冬月火內水外其症相反春秋氣調故差可也用溫熱以理之肉桂附子煨薑白朮收火於內調氣於脾易易耳

方爾新又新甫記 賁開

一婦入患症。每歲春三月、間乳孔流血不止。如此六七年。無藥可活。兼以潮熱如火。消瘦已極。先生診曰。皮者脾也。土也。火伏土中。乘虛而發。春三月爲季。屬土。血不能度。脾入子宮而上行於乳。乳者血之囊。其孔原未嘗閉、伏土之火。遂乘虛穿皮而出。土旺季而春爲發生之日。故流血不止也。單用知母黃芪甘草皆蜜炙爲末、冷湯不時調一二錢服之。兩日可療也。服藥後。果如師言。

陳獻廷用修甫記 高安

周用先清晨梳洗時。忽然仆倒。至午刻不醒。醫家有用薑湯。用理痰丸子者。總不効。適先生至省。診曰非風症。亦非痰症也。作文不遂意。思力過用。竭其津血。暑氣驟入。卒爾昏暈。是以心腹冷而手足熱也。以六一散。挖開口。冷水調服。服至一碗。喉間有聲。服至二碗。腹中作響。服至三碗。胸有暖氣蒸鬱。出微汗。開眼如平時矣。

藍沅芷生甫記 高安

劉善長患一症鼻中熱極不聞香臭出氣如火毋論不能服辛熱即見蒸熱熱物亦頭搖手戰心跳不安諸醫以涼藥進但一時少可稍停復然兼之脾泄骨瘦如柴先生診曰此脈與症反症又與藥反者也酌一方用蒼朮一觔淘淨皂角八兩煮水二觔浸一宿煮乾爲末每日用麻黃一錢大川烏五分煎湯不時調末二三錢服服藥次日即聞香臭熱氣漸少五日可以近火七日進熱物喜於入口而脾泄之症亦療弟子輩叩其故先生曰鼻熱

極。非眞熱也。肺氣大寒。未經解散。遂寒極而反畏熱。其脉沉遲。其症燥熱。故曰脉與症反。症宜用涼療症反用熱。故曰症又與藥反。此中妙諦。固難與淺見者言也。

萬興倫貞生甫記　南昌

一婦人夜則惡寒。晝則惡熱。熱時進以冷水則稍安。寒時亦進以冷水則稍安。春夏冬皆然。惟秋天但熱時可進冷水。若寒時進冷水。腹疼不可忍。患此症四年。晝夜不得睡。并飲食不進。經水不通者二年服諸藥不効。益瘦弱。惟有待斃耳。幸先生至診曰。此所謂陰氣幷陰故發寒。陽氣幷陽故發熱。陰不足喜水。從陰也。陽不足喜水。救陽也。炎夏方去。寒冬未來。秋天陽退陰進。故寒時遂畏冷水。法當補陰升陽。而散其寒熱。每劑人參川連各一錢。升麻二錢。服十劑其症可療也。服藥五劑。晝不畏熱。但夜畏寒欲飲水。七劑夜尚飲水。竟不畏寒。遂覺飲食有味。經水復通。舊病全去。

萬先登于岸甫記 臨川

一鄉人心胸作痛不能忍。無時而解。飲食不能進。大便四五日一行。行則艱澀萬狀。小便每日一行。行則痛如刀割。面黃體瘦。遍請醫。有用補者。有用行者。總無一効。患此症三年。苦不可言。先生診曰此症感得極輕。諸醫以心痛作主藥。遂治之不効耳。豈知此人好喫煎炒。又好喫冷物。冷熱交摶。停滯於胸。因之作痛。又醫家不知三瀉之法。大小便俱困。下不能行。上益作痛。給一方用大黃二錢。石羔一錢。巴豆去油五分。木通八分。共末丸極細。每日三服。每服服燈草湯吞五分。服三日其臭物俱下。小便不作疼。心胸亦安然矣。

臨川 謝士奇正萬甫記

一鄉民患驟症。眼不見物。鼻不聞臭。口不能言。惟鼻中出水不盡。醫家以爲中風者。中毒者。陰症者。其父母只生此子。意不能決。不敢服藥。惟以被厚蓋。用女人以口接氣。先生診曰中風中毒陰症皆未是。若作此等症服藥。立斃之道耳。與一方用風化老鴨骨燒灰二錢。蜜半鍾。薑汁半鍾。入陳燒酒一鍾。挖開口灌入。但使其一知味。即刻可以服完。其病刻可愈也。服後果如師言。弟子求其解。先生曰此犯色傷風也。觀其鼻流水。又腎脉獨强。是以知之也。老鴨能補陰。可知其骨也。蓋因其犯色太傷。而取食物補陰之氣。以通導薑蜜。燒酒迅行。故易爲功耳。

沈開春咸和甫記　會昌

一婦人患心痛症。每辰巳午三時。口內有烟如火搶上。心疼欲死。每酉戌亥三時。口內有冷氣如氷欲出心疼如割遍請醫總不解其故先生診曰此積血積氣症也血陰分辰巳午陽亢血與之鬪是以血入喉如烟氣陽分酉戌亥陰極氣從此伏是氣退如氷治此症只一劑可愈也用川烏桃仁五靈脂乳香沒藥煎服纔入喉其烟立止有死血數塊內有小蟲皆有頭尾一服全瘳果如師言

萬立義進也甫記　新喻

一婦人産後十日頭暈體熱口內乾燥舌唇俱拆每日暈時眼直卒倒諸醫以其血熱用凉藥其症

益重。先生視脉曰。此不必用藥。但以汁藥與之食。兩日可全愈也。用童便老酒麻油各二兩。入磁罐內蒸透。愈透愈妙。取起埋土中一宿。用雞公湯一碗入前汁少許冲服。有鬱血黑極者推出口即不乾。頭即不暈。服汁完如無病時矣。

張壽南秀海甫記　新淦

一鄉人患症中脘作疼作脹。每發欲死。飲食入喉如有物梗住不能下。每日惟飲生猪血及牛血等數碗。作噎症治。總不効。飲食既不進。又苦疼難忍。

先生診曰是必服血不作疼者也是入必舊時好飲生鹿血以爲補虛又值夏月服血在晚間有飛蟲在血內誤吞之其蟲入腹而活作脹作疼飲血不疼者蟲原入血血入得活也做昔賢治油蟲之法而變用之將此入縛在柱上其中脘痛處更加繩束一日勿與飲直至晚間持血面前使其欲喫不能而心益苦又閱一箇時然後以血入口嚴諭爲汝去病切不可吞下屢換血入屢着吐去至第七口其心上肺下如有物欲到喉間又換新血少

許入口。蝍在齒外唇內。須臾有物搶入口中。急以手挖舌一吐盡出。洗視之則飛蟲五六箇。皆紅色。以血養故也。再服人參敗毒散數劑。全瘳矣。

王培青男震甫記　盧陵

有嫂嬸兩婦求看脉。其嫂年五十餘。患勞怯重症。先生診曰非眞怯也。服四物湯加玄參茯苓。一月可愈也。其嬸年二十餘。僅經水過後求藥。先生訝曰。據脉五日內且死。當速歸。與夫議。若得眞鬱金三兩。暫延命。發狂症。可度此劫。言未畢又一婦求藥。先生診曰。異哉項刻間。有兩婦人絕脉何也。豈予指病耶。再細心診之。前婦當五日死。後婦且三日死。乃五日者可救。而三日者不可救。奈何前婦尚未信。且發笑。先生曰。但看後婦三日內見。則前婦速覓鬱金。只在第四日服可救。後婦歸至第二夜。痰厥死矣。前婦驚愳。果覓藥得活。七日後遍身發紅斑。鼻流血。狂叫疼。三晝夜。先生與以三黃湯始得解。是何異秦越人決齊侯之病在骨髓。而以爲司命無奈之何。而先生更奪命回生矣。

婺源　江思源玄濬甫記

一友患健忘，服歸脾、補心等藥，數年不効，而症日益重，并飲食難進。先生診曰：心之下爲脾，母病子病，調心理脾，自是醫理。然賊邪在內，固有重攻之而應手去者，不可不知也。心脉三診，一陽二陰，是爲實上虛下之症。法當用牛黄、硃砂、茯神三味，磨滚湯，每日進二劑。五劑後用加減補心湯：生地、當歸、川芎、白朮、牡丹皮、茯神、棗仁、天麥二冬、玄參、遠志、山藥、甘草。服一月全愈。

黎元寬博菴甫記 南昌

一商人患熱結症小便一月不通每日但淋血數點其血將出管即凝結如石其痛不可忍諸醫進以通便藥如車前木通蒺藜茯苓琥珀鬱金等藥益甚其痛先生診曰三診脉皆強陽火也腑臟皆有客邪五火之症也當以水魁之取長流水大壺百沸入青鹽三股通草二股甘草節一股儘着飲水以極飽為度水塡滿腹然後以硃砂五分調蜜水一鍾纔過喉即作響用青布將童便浸透濕安

臍上。以熨斗旺火臍上運之。其水盡從小便中出。有碎如砂石小豆大者。推出碗許。其病頓除。是謂之火在水先以全水灶五火。又不通者水塞也。以水通水。由其道。原至易也。

萬司謙六吉甫記　新喻

一孩子年十五。因其父求藥。携之來。先生診其父之脉。此脾虛之症。服歸脾湯十劑可愈。因望其子氣色語以此子有病在裏。交夏當發。發則凶。弟子輩詰以故。先生曰。不觀之時令乎。春氣煖。至季春煖極將爲炎是夏之漸也推此可以知人身時方二月天氣清涼正值早晨此子面黃赤毛孔俱開是且行晝氣春見夏色不由漸也其父爲其子求調治先生曰即預調治亦必發但易療耳交夏六月果發熱症幸先生猶在省但與以六一散二兩用冷湯調服而愈

張壽南秀海甫記　新淦

喬克峻湖西道田先生署內鄉親患一症腹中作疼不能忍晝夜無刻稍寧飲食槩不進疼至七日但欲求死而

疼更增見魚池則跳身入水見繩索則就縊速亡毎次救甦忽晚間有家丁帶刀生計以爲好刀借看持刀即自刎其頸斷其喉暈死在地血流不止幸先生在臨診視僅斷喉骨之半尚有生機用生半夏搗粉塗入孔內外以膏藥貼之三日其斷骨復接始能飲食然疼則益甚先生曰此腹生內疽厥毒在腎發不出故疼亟用麻黄每劑三錢幷歸尾防風荊芥黑枳實連翹四劑服藥兩日右腰眼發皮裏硬毒一塊而瘡稍解用金銀花牙山甲歸

尾大黃朴硝等藥六劑其腰眼毒直腫至脇上至心而止。右半邊身高於左邊三寸許。皆硬而不紅。疼尚不解。又用生大黃朴硝每劑兩許。加黃連連翹等藥三劑。便出黑穢雞子塊大者一桶。臭不可言。雖以犬見之。吠而走也。其疼遂止。其毒亦漸消。喬克峻自此再生。圖先生之像。頂香朝夕。葢以丹膏速接其喉骨。奇也。接脉而知有內疽。以爲發其毒而疼可止。更奇也。至於先以麻黃。後以大黃。皆重劑。此用藥之妙。非思議所及也。

錢天壽爲先甫記

一寡婦年六十餘患瘋氣十年不能起牀其媳亦早寡以厥姑無有伏侍者遂不嫁家復貧甚每日兩餐粥苦不給乃饑寒迫身孝事其婆未二載亦患癱瘓症初脚不能行後并手不持矣鄰人爲其媳求藥告以病緣先生曰不但媳之症可愈并厥姑之症可愈也給湯藥各三劑末藥各四劑以服未嘗用好陳酒此貧苦者顧安所得酒乎適有送節者先生收酒一大罈給與兩婦服藥畢後六日

姑媳兩人泣拜於地。舊病悉除。得務生理。此自先生施濟常事。然亦孝婦感動天地。而先生之藥。是亦天地之恩也。

休寧王應元晉侯甫記

一鄉民患氣塊症。先生診曰。塊疼甚。劇亦難受。求傷命也。據脉十日內當死。予欲救汝而給以藥。然服藥預救。亦當得凶症而後免。既免以後。汝且不信有死。而謂因服藥得凶症。將怨予。予今若不救又坐視也。奈何。歸與其父言。固信服先生爲神人者因求藥與以黃連解毒湯每日二劑服藥十劑至第六日小腹大疼瀉出有頭有足蟲長尺許者數十條昏暈咬牙不省人事者兩日家人驚怖先生曰毒出也死可免也與以和中丸十劑得愈漸進飲食起視其氣塊亦幷消矣

項良欽文叔甫記　星子

一鄉民患頭疼發熱甚重先生診曰給汝藥三劑弗使人知但服之三日後再來見可除根也鄉民歸與知藥者見之僉云無故用此藥不能解且勿

服。閱三日頸發瘰癧。飲食不能過喉。來見。先生曰是必疑吾藥弗服。乃至此。予初診脈。見汝積熱。且晚有熱毒出喉間。是以授汝之藥。爲連翹桑寄生射干羌活獨活大黃木通朴硝。毒未發。以此瀉之則易爲功。今毒已發。且極重。當用五香連翹散。於前藥內加丁香沉香木香乳香射香十劑可愈也。服藥後瀉去毒盡。瘰癧頓消。

江以碩公遜甫記　新城

卷之一

客有問於余曰茹穹子遊虞山未及浹旬授其訣者靡不朝種夕收立竿見影何其道之不疾而速若此之神且玅也余曰世之玄學大率有兩門其玄遠者則歸于玄牝天根窈冥冲漠令學人吹囊貯氣如游空之鳥窮大而無歸其平實者則取諸熊經鳥伸開闔聚氣令學人登枝失榦如屆步之蟲得此而遺彼此皆所謂徐六擔板但見一邊者也茹穹子之道至易至簡亦神亦化卽易簡爲神化卽神化爲易簡不待二時不分兩儆自道德五

千言以至丹經萬卷如數家珍如觀掌果吾於是而知莊生之朝徹顏子之坐忘實有是功夫實有是境界非詭道理非假言筌子以神玅而求之則箭鋒石火覿面而失之千里奚可哉或曰子既已歸心空門揀別楞嚴十種仙趣今復津津于茹穹子者何也余告之曰世尊初詣道樹伽趺坐草内思安那般那安那般那者出入息也一數二隨三止四觀五還六淨謂之六玅門觀天台禪門次第亦用此六玅觀吾將從事茹穹子之訣窮究天台

法界次第以此爲觀門初首如子之恭我將離玄而求禪如人終日說食卻在飯籮邊餓死則豈可謂之知禪者哉或者乃稽首而退請書其說以告于來學者

余授茹穹子丹訣諦信不疑將涓吉奉行廿七日忽感風邪鼻塞體熱頭涔涔然知爲客感可仍用鼻息訣散之鼻息少許時自覺關竅中如有一物結轄不開閉極忽開開已復閉交戰久之結轄處如有一物拔出眞氣汩汩乎來矣少選塞者既通通者不復閉所拔去之一物窅然不知其所往矣又少選則眞氣噴溢逈閉俱忘遍身骨節酥融靈透自覺神清氣爽寬安息定身無其身息無其息如飲天酒如吸甘露灌喜快樂至欣一飯熟頃乃蘧然而覺覺時如夢如

幻口不能言久之稍言其狀内人曰此眞正開關消息但未知光景如何余曰光景不可説但恍忽中忽見一本書在旁開列行功次第楷墨行數宛然在目但不能舉似耳爾時自訝應有三花聚頂五氣朝元之狀迄今但滿心歡喜口中不能形容片語古人言古佛舌頭良有以也次日茹穹子曰此已見大橐籥不但開關也持行訣而先開關最奇即于病中行訣開關尤奇此一本書的是

祖師枕中秘訣假借夢中傳授尤奇之奇非夙稟胎仙何以臻此

辛丑孟夏虞山蒙叟錢謙益書于胎仙館之右个

茹穹先生念我衰老扁舟訪我虞山余觀先生雙瞳如漆鬚髮鬒黑神氣益溢視三載前德充之符又加粹矣所至以一指活人刀圭方匕沉疴立起診視如孫吳之料敵療病如韓白之決勝病愈奇惟則效愈神速斬關奪命不以尋常方劑奏功江右陳伯璣士林之麟鳳也瘨痏在躬十年不愈神色顦顇起居艱苦才服藥兩日忽來告我霍然有起色矣瘏液之流黃者變而爲白矣先生奉靈眞之命以活人爲事吾以爲如伯璣者活一人可抵

千人萬人豈可與橫目之民計口論功耶余向辱先生執贄師資之敬甚嚴令效陽明還拜董蘿石故事以壽衣一襲爲贄反執弟子禮先生不欲當乃以還丹眞訣見授許以舐丹鼎上昇作淮南雞犬也昔漢淳于斟隱居吳烏目山中遇慧車子授以虹景丹訣遂得度世烏目山卽虞山之別名陶隱居不知以爲吳地無烏目山誤也先生坐予小閣上指點簷外峯岫乾元宫招眞治丹井鶴飛恍忽在眼先生此亦得非慧車子飈輪神車再降於

此山耶　石臺使君親見先生療伯璣疾拊掌嘆異江右仙靈所萃皆龍沙石函中人也當爲我證明此言辛丑四月望日敎下道弟虞山蒙叟錢謙益頓首書于胎仙館中　　醫驗書左

常熟陸定爾乃正王煙客先生長愛也患症晝夜吐痰涎不止兼之發熱遍身作痛竟夜不寐稍進食即嘔吐不納羸瘦已極以無藥可救矣先生按脉給丹藥一劑得安寢數劑進飲食語以此產後頑痰症也當發一毒得全愈果如所言病愈剩有

藥丸一老嫗病羸極者服之不惟病瘳復體肥強
壯如壯年藥之靈至此
嘉定楊思賢患症每睡倒即百節酸疼遍身氷冷
汗出如雨竟夜地獄中遊雖重喚不醒骨瘦如柴
每日飲粥湯碗許無生理矣先生視脉謂此神失
之證人之魂魄倒乃亂馳也語以治法但睡時着
其子抱其背覺身冷纔有汗出即扶起令坐候開
眼知人事即服藥一劑扶起令行數日飲食漸進
其病如失

吳江俞成吾患腹脹疼極秋冬更甚諸醫作蠱治不効益疼飲食槩不進危在須臾先生視脉曰非蠱也戊土旣衰難于轉運食物不化加以客寒遂成兹症秋冬重者天氣寒則客寒交作也調胃化氣佐以温和服藥半月愈

嘉興李含文婦患症初產艱難頭暈氣喘心疼如割不能忍六日不進食成不藥之症先生胗脉曰此症過七日卽不治今猶可治也用紅花蘇木等而佐以炒梔子寒凉諸藥醫者不解果兩劑而愈

先生語曰此血攻心心血復熱極用行血藥而心
腹之疼止佐以寒凉血凉而頭暈止胃氣開痰喘
平矣不得泥初產不用凉藥之説也
丹徒周子禎患症頭項怕寒炎月須以綿裹面色
紅赤皮内時有蟲行手足搖戰竟日不止惟食時
稍定先生視脉曰此胃傷也胃爲十二經之海而
流行皮毛肌肉筋節之間穀氣不上升諸陽故頭
項畏寒主氣少而發爲大熱故面赤觀其飲食時
稍定則知其枝葉之大傷而主氣尚有存也定方

主以甘温佐以酸寒服藥一月愈

嘉善張子庭婦患症頭面及遍身浮腫不堪飲食停在胸膈閱兩個時作嘔吐出諸醫以爲翻胃不可療先生視脉曰異哉此受孕兩月之脉也作翻胃治之幾屈死此婦矣蓋因血不足以滋胎當二月而墜欲墜不能而氣上攻于心遂作嘔吐與以養血滋胎舊症漸除果十月而誕子矣

平湖林茂大患症彎背頭與膝相合十年餘不稍伸更難睡疼不可言頭背既覆肺竅屈曲不能容

食僅納飲湯少延性命而已先生視脉給丹末服
至五日忽能舉頭其子急再求藥又五日而背膝
俱伸直能步行飲食亦過喉如平日矣
常熟戴洋士乃正患症小產後四五月血崩不止
羸弱已極諸藥不効先生視脉曰此非血崩症也
由從前小產未經清補氣鬱未調而血路有餘尋
即受孕復如前三月小產其鬱更甚此五鬱氣不
能攝血之症也認爲血崩重補塞其去路而去益
甚耳服補氣凉血藥三劑其血即止再服調理中

氣充體康如前矣

嘉善王德聞患左肩連臂作疼陰雨天更甚八餘年不得愈諸藥無効先生視脉曰非風痰亦非寒濕由心右際血不調滲入右背系而其脉應于左肩臂與以藥丸一觔且語以服未半可愈也果服藥未及半而舊症全瘳矣究其藥乃天王補心丹也此藥似與瘵肩背症不相涉而効之神至此豈易與淺見者道哉

楊長倩北上過吳門求看脉定方爲長途調理先

生曰據脉當有病病且重細看脉中氣息此番未必中何不畱此資回武塘再讀書也已而會榜發果下第病復不已悉如先生言

顧無恙患右臂痛至不能上下十餘年苦不可言先生視脉與以藥一包并傳静功半月後忽一日伸臂能上下其手竟不知向日之有此症也神哉

魏介臣乃正患怯症痰涎不已骨蒸潮熱多出冷汗兼之喉間腫痛有一物作梗飲食不能入并痰涎亦不能出也年餘諸藥不効危甚先生觀脉籍

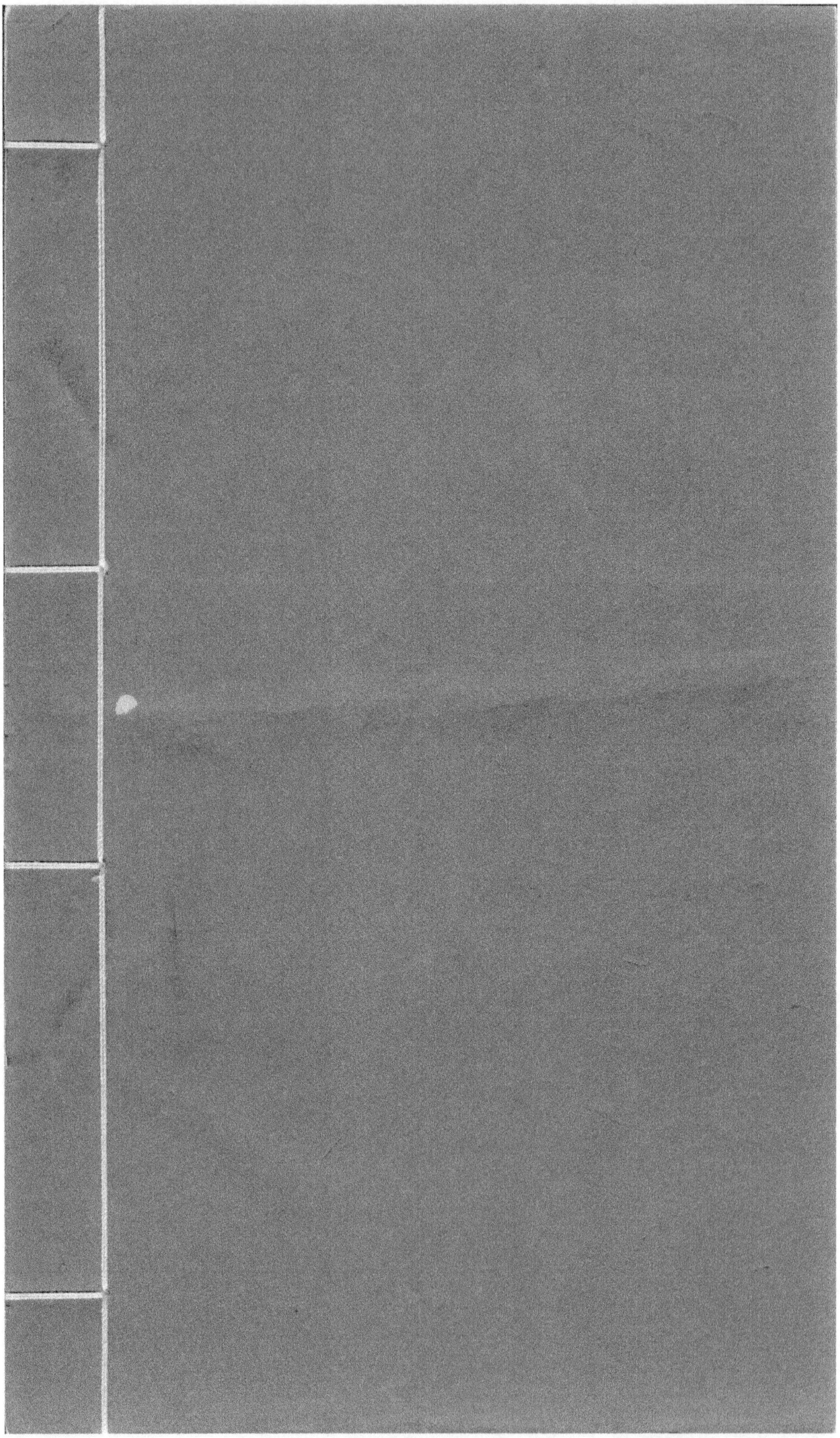

栖芬室藏中醫典籍精選·第三輯

女醫雜言

提要　孟慶雲

内容提要

女醫雜言，一卷，明代女醫生談允賢著於正德五年庚午（一五一〇）。現存之孤本是明萬曆十三年乙酉（一五八五）錫山純敬堂刻本，是栖芬室藏書精選醫籍之一。孤本現藏於中國中醫科學院圖書館。

作者談允賢的母家談氏家族，是明清三吴一帶的名醫世家，以内科、女科、幼科見優。談家又以儒學鳴於世。作者丈夫的祖上皆以儒入宦兼以醫鳴。作者身世不見於醫籍文獻，現僅從書序和四個跋語約略可知。

該書未見書名頁，從序的署名楊談允賢，知作者爲嫁給楊家的談允賢。中國中醫古籍總目署作者爲楊談允賢，和序文一致。她出身無錫談家。談家『世以儒鳴於錫』，她的曾祖父贈文林郎南京湖廣道監察御史，娶當地世醫黄遇仙家女子。由是談家成爲亦儒亦醫的世家。她的丈夫爲楊亞中，楊家也是以儒入官而又通醫的世家。楊亞中祖父封奉政大夫南京刑部郎中，兼以醫鳴。談允賢的伯父任户部主事，父親任萊州郡守。她的丈夫楊亞中以科甲榮官，任職於刑部。她的醫術得於嫁到楊家後的祖母茹氏太夫人。她少年入嫁時，楊亞中讓她先誦五七言詩和孝經等。祖父公公見她聰慧，勉勵她不拘於尋常家務女紅之工容，學習楊家所傳之醫學。她開始只能記憶一些醫書詞句而不知其價值與應用。後來，她日功夜課地讀難經、脉訣，又在餘暇時聆聽祖母茹氏太夫人講解，這使她頓然解疑。最初的實踐，還是始於她成年後連得幾次血氣疾病之時，她在醫生來診之前，先自診而與醫生的辨證相對照以驗證，又請教茹氏太夫人以定奪。她還親嘗調劑煎藥。茹氏太夫人又把自家驗過的效驗方書傳授於她。茹氏太夫人去世後，她感泣過哀而病，以至奄奄一息達大半個月之久，甚至其婆母都在爲她操辦後事了。她在昏迷中，夢見茹氏太夫人告訴她，『汝病不死，方在某書幾卷中，不日可愈，汝壽七十有三，行當大吾術以濟人』。婆母唤醒她之後，她尚能記得，遂檢方調治，而後病瘳。此夢中得方，爲治所驗。以後，她專治女病人，且往往獲奇效。她行醫數十年，已抵五十歲之際，意識到按祖母茹氏太夫人夢中所告壽命七十三歲，現已達三分之二了，餘日不多，遂把自己的經驗做了一番整理。她口述，其子楊濂抄寫爲女醫雜言而付梓成書。本書是集她五十歲以前的經驗而成的。她有三女一子，活到九十六歲。她在歷代女醫中，是最高壽者，在諸醫中也堪居高壽者之前列。

今日我們見到的女醫雜言是萬曆十三年乙酉（一五八五）的重刻本。她的序文寫於明正德五年庚午（一五一〇）。她的弟弟舉人談一鳳爲書寫跋語的時間爲正德六年辛未（一五一一）。可知此書初刻在一五一〇年，或一五一一年。據親朋們的四個跋語所述，在此書初刻七十多年後，親友們又操持重刻此書，且此書的重刻也是有原因的。一是，此書爲活人之善書，自有重刻之價值。二是，此書初刻之後，楊家遭受灾難，先是作者兒子楊濂早喪，後是她的孫子楊喬因受株連被斬殺，楊家因此絶嗣，而在楊家禍亂風潮過後重刻此書，當是親人們緬懷楊家儒臣名醫之義舉。

雜言不雜。本書名爲雜言，實爲完整的三十一個醫案，是唯存的女醫生治療女病人的驗案。驗案涉及婦科、兒科、傷寒、雜病、瘡瘍諸證。案中有大出血之急症、頑症、痼疾，也有兩例將死而備好棺木之重症。她應手如脱，被稱爲女中盧扁，以至『家鄉女流得疾必延至爲喜』。

她的醫術高超，一方面，是因爲她聰慧警敏，萃極諸家秘要而通融；另一方面，是因爲她身爲女醫生治女病人，『以自己性氣度病人性氣』，體驗更契實。其所引醫案述寫樸實，且皆中肯綮；切脉準確，脉證相合；皆以藥物和針灸爲治；每方用藥皆在十味左右，未見有用怪方、奇藥、貴藥者，用方皆標明出處和劑量用法。其所引書中現只有摘玄方一書已亡佚。其醫案所記的是摘玄方中用於病後調養的幾個方子，如人參膏、甜穀丸、蒙薑黄連丸等。案中用針法和灸法甚多，取穴簡要，每次僅取四五個穴而已。案中治急症如産後大出血、産後傷寒及淋證等皆應機如拿。第十五案以補中益氣湯治産後風，足見其立意之奇。第二十案，患兒從八歲起至十五歲患鼻至（今稱鼻息肉），她以擦藥、煎劑、貼藥合治，使之痊愈。第二十七案，一位三十六歲的女病人，生四胎，在生第二胎後習慣性流産，她診爲内憂勞怒傷情引動内火所致，分别用四製香附丸、調經益氣湯、安胎末藥合紫蘇湯爲治，次年該病人生一子。第十七案，一富家老婦六十九歲，氣虚痰火、全夜失眠已兩年，心脉虚衰已極，又因丈夫急症而故，哭傷而病更重，她分别用人參膏、八物湯、琥珀鎮心丸、清氣化痰丸等調治三个月，使其諸病皆愈，該病人活到八十歲而終。

諸案中，運用灸法治療難治之證乃至死證最令人叫絶。如瘡瘍、瘰癧、瘧疾、痢疾諸病，均是以灸治建功的。第二十一案以灸治愈病程達半年之久的膈氣。第二十二案的産後勞傷也是因灸法得愈的。第二十三案的十年不孕症，係因久發白帶而致子宮虛冷不能成胎所致，她據明堂針灸所述灸能暖宮、針則絶産之説，以灸氣海、關元、中極并氣衝雙穴配何首烏丸进行治療，經治三年後該病人産一子。第十三案的病人是在灸治翻胃後，吐出緣蟲而愈的。第十六案瘰癧病人在灸後又中河豚毒，她仍以灸法使病人獲救。第二十八案的小兒食積和第二十四案的虛勞腹中包塊及第三十案的二十七年腹中龜塊皆是她以灸法治愈的。

第十八案中她先以瓊玉膏，繼用人參六君子湯，再用朱砂安神丸治愈四十五歲的久病瘻證。第二十九案和第三十一案所載的都是將近死亡的病人。第二十九案是妊期食積，長期不能進食，第三十一案是妄自墮胎後長期惡露不下，又誤服藥食將近死亡，皆在這位大醫的精心搶救下得以生還。

讀過這些應響確然的醫案，深感談允賢的醫術，真可謂意傳造化，存乎其人。本書當是傳世佳作。

孟慶雲

名醫多稱三吳女醫近錫山談氏
自奉政君暨配太宜人皆善醫宜人傳
於其孫楊孺人此女醫雜言則孺人之
手筆也夫醫在丈夫稱良甚難孺人精
書審脉投藥輙應女婦多賴保全又能
爲書以圖不朽活人之心殆過男子使
由是而通內則諸書則壸限以裏之事

當更有條格儀節以傳後也太宜人出
吾茹而孺人與予爲表弟兄惟深知故
又望之
賜進士第朝列大夫福建布政使司右叅
議前奉
勑兵備漳南僉事姻生茹鑾書

女醫襍言序

妾談世以儒鳴於錫自曾大父

贈文林郎南京湖廣道監察御史府君贇同里

世醫黄遇仙所大父

封奉政大夫南京刑部郎中府君遂兼以醫鳴

既而伯户部主事府君承事府君父萊州郡

守進階亞中大夫府君後先以甲科顯醫用

弗傳亞中府君先在刑曹嘗迎奉政府君暨

大母太宜人茹就養妾時垂髫侍側亟中府君命歌五七言詩及誦女教孝經等篇以侑觴奉政喜曰女甚聰慧當不以尋常女紅拘使習吾醫可也妾時能記憶不知其言之善也是後讀難經脉訣等書晝夜不輟暇則請太宜人講解大義頓覺瞭瞭無窒礙是已知其言之善而未嘗有所試也笄而于歸連得血氣等疾凡醫來必先自疹視以驗其言藥

至亦必手自揀擇斟酌可用與否後生三女一子皆在病中不以他醫用藥但請教太宜人手自調劑而已是已有所試而未知其驗也及太宜人捐養盡以素所經驗方書并治藥之具親以授妾曰謹識之吾目瞑矣妾拜受感泣過哀因病淹淹七逾月母恭人錢私為妾治後事而妾不知也昏迷中夢太宜人謂妾曰汝病不死方在某書幾卷中依法治

之不日可愈汝壽七十有三行當大吾術以濟人宜毋患妾驚覺強起檢方調治遂爾全瘳是已知其驗矣相知女流眷屬不屑以男治者絡繹而來往往獲奇效倏忽數稔今妾年已五十屆指太宜人所命之期三去其二矣竊歎人生駒過隙耳餘日知幾何哉謹以平日見授於太宜人及所自得者撰次數條名曰女醫襍言將以請益大方家而妾女流

不可以外乃命子濂抄寫鋟梓以傳庶臆見度說或可爲醫家萬一之助云爾觀者其毋誚讓可也

正德五年歲在庚午春三月既望歸楊談允賢述

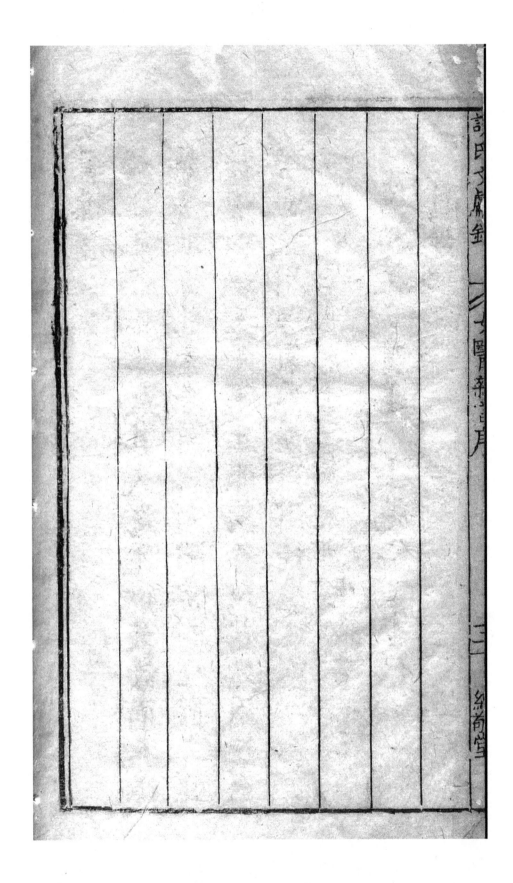

女醫襍言

一婦人年三十二歲其夫爲牙行夫故爲人以財爲欺婦性素躁因與大鬧當卽吐血二碗後兼咳嗽三年不止服藥無效某先用止血凉血次用理氣煎藥再用補虛丸藥

四生丸 出良方去生荷葉用 生地黃

匾栢葉加 黃蓮 山梔仁 杏仁

貝母各二兩

右爲末煉蜜丸如彈子大薄苛湯食後噙化

八物湯出拔粹方加砂仁　陳皮　香附　貝母各一錢

右每服水二鍾薑三片食遠服

大補陰丸出丹溪方服之遂得全愈

客船上一婦人年四十歲患兩手麻木六年不愈詢其病原云無分春秋晝夜風雨陰晴日

遂把舵自得疾以來服　無效其以風濕症
治之灸八穴遂愈
肩髃二穴　曲池二穴　支溝二穴
列缺二穴　又服除濕蒼术湯出拔粹方
一婦人年三十八歲得患血崩三月不止轉成
血淋三年服藥無効詢其故云家以燒窑爲
業夫出自運磚瓦一日運至二更纔止偶因
經事勞遂成此症其謂勞碌太過用補中益氣

湯出丹溪方加

黃芩　香附各一錢　大薊一錢五分

後服大補陰丸即愈此後有患如此疾婦女五六人服此皆効

一婦人年二十六七有胎即墮凡墮六胎雖服藥不得成其問其故其婦性沉怒不發言火内動之故遂用紫蘇安胎飲出丹溪方後用

於潛白朮米泔水浸　鼠尾黃芩醋炙各二兩

右爲細末每日空心紫蘓湯調下二錢始
得胎安遂生一女

一女子年一十九歲患兩頸瘰瘡炙八穴遂發
膿潰其根如燈心之狀其瘡即愈

醫風二穴　肩井二穴　天井二穴

肘尖二穴

一婦人年四十三歲其夫因無子取一妾帶領
出外婦憂忿成疾兩腿火丹大發又加熱甚

其脉大而極數醫者多以憂愁鬱結治之皆不獲効其詢其火丹之故云自爲室女時得此症每遇勞碌憂忿必發不久而退惟今三月不瘥其意謂濕毒治之先用防已飲一貼出丹溪方其熱速退又服一貼火丹亦退太半又於火丹紅點處刺出惡血又服前藥二貼火丹全退又用四物湯二陳湯出局方加

砂仁一錢 人參二錢 蒼术二錢

香附一錢
右水二鍾薑三片空心服　調理半月而
愈
一富家女年一十二歲小腹有塊生於丹田醫
者誤認肚癰開刀七年膿水不乾至一十八
歲兩頸遶腰皆生腫塊其細詢其原即纏腰
癧也遂灸一十二穴其塊漸消悞開刀瘡口
亦愈

醫風二穴　肩井二穴　手三里二穴

内關二穴　間使二穴　天井二穴

又服散腫淡堅湯出試効方　去昆布三稜加

金銀藤花三錢　青皮一錢

右水二鍾薑三片煎服

一婦人年三十二歲左頸患瘰核與灸二穴

醫風左一穴　肩井左一穴

又服當歸連翹湯出袖珍方　加二陳湯

蒼术二錢 青皮一錢

右水二鍾薑三片服之十貼此核遂消

一婦人年二十三歲患滿身瘡癩不能舉步痛癢不可忍其詢其居處所居不蔽風日產後漸得此瘡疾一年不愈某謂產後氣血未和乘虛被風摶於皮膚之間故發此症付人參敗毒散出局方加連翹一錢 金銀藤花二錢

天麻一錢

右水二鍾薑三片煎服

又搽藥合掌散 出摘玄方 十日卽愈

一富家婦年三十三歲患泄瀉服藥無効詢其故飲食太過不能尅化此爲脾家久受虛濕所致用艾火灸五穴其瀉漸止又服和胃白术丸 出摘玄方

上脘 一穴 中脘 一穴 下脘 一穴

天樞 二穴

至八月復灸　膏肓二穴　脾腧二穴
大權一穴　三里二穴　遂獲全愈
一富家女年方八歲患白瀉醫者誤爲痢瀉一年不愈細詢其故此女後母所出其謂愛過必爲食傷用火灸五穴又服保和丸一料出摘玄方　其瀉卽愈
上脘二穴　中脘一穴　下脘一穴
食關二穴

一婦人年二十一歲初受胎六箇月患疊日瘧痢將三月其詢其故云偶食雞麵彼翁姑嗔責遂得此症先付安胎和氣之劑服之無効後服二陳湯加

香附一錢　神麯一錢　砂仁一錢

木香三分　蒼术一錢　厚朴一錢

柴胡一錢

服之稍可得九箇月產下死胎其婦將危瘧

痢復作急與四物湯加

玄胡索一錢 白朮二錢 陳皮二錢

神麯炒一錢 黑乾薑一錢 香附二錢

砂仁一錢 蒼朮一錢 厚朴二錢

草菓一錢

服之瘧痢稍緩米飲加進後又付藥六貼去

草菓玄胡索乾薑加

人參一錢 木香三分 茯苓二錢

陳皮一錢

又服蒙薑黃蓮丸出摘玄方其病即愈

一婦人年五十二歲患翻胃嘔吐每日止飲酒幾甌如見米粒即嘔去如是者一年羸瘦太甚身如死形遂以火灸五穴

上脘一穴　中脘一穴　下脘一穴

食關二穴

初上艾火即爆去比他人甚異次又速粧艾

炷亦就爆去第三次方得火力回家吃蝦羹一碗又吃鮮魚粥一盞即不吐次日二更復嘔尤甚見有一物將水盆漾之天明視之乃一匾蟲也長五寸濶一寸許後服和胃白朮丸一料飲食漸加形貌如常遂獲痊安

一婦人年二十三歲患荷葉癬風先與防風通聖散出袖珍方後與北桃頭柳頭黃荊枸杞椿樹飛鹽生礬金銀花楝樹根皂角每晚洗

一次又莒茹散合六神散（方）（俱出摘玄）浴後用醋調前藥以茄子擦上如無茄子用生薑擦兩箇月即愈

一婦人年一十五歲患滿面耳項風癢不可當詢其故昔日產後所得其謂產後見風太早氣血俱虛其風乘虛而得於皮膚之間似馬蟻淫癢不可當與補中益氣湯（加）

生地（一錢）香附（二錢）煎服

又付洗藥　皂角　蒼术各四兩

右水六碗煎成膏每朝洗面用一匙又與莒茹散茄子擦半月而愈

一使女年一十五歲患瘰癧兩頸有三十餘腫塊每遇勞碌夏天大發寒熱塊漸大其與灸十六穴腫塊遂消後不再發隔一年後曾食河豚毒物亦不再發

翳風二穴　肩井二穴　肘尖二穴

天井二穴　手三里二穴　間使二穴

内關二穴　絕骨二穴

一富家老婦年六十九歲患氣虛痰火全夜不睡日中神思倦怠諸藥不効病及二年右手寸關二部脉甚洪大左手心脉大虛詢其病原乃因夫急症而故痛極哭傷遂得此症其早晨用人參膏出摘玄方日中用煎藥八物湯出丹溪方加乾山藥　酸棗仁各一錢

辰砂五分　蒲黃三分　木通七分

遠志一錢

水二鍾薑三片煎服

晚用琥珀鎮心丸出丹溪方至三更用清氣化痰丸出摘玄方不三月其症遂愈後甚肥壯壽至八十歲而終

一富家婦年四十五歲得患瘘症一年不能起床聞人聲響卽虛暈或大便小便後亦虛暈

兩手脉甚細弱乃氣血皆虛又咳嗽痰中見血詢其故先因有女身故痛極哭傷不隔半年其夫變故又因哭傷加病其婦性亦躁急其先用瓊玉膏加

扁栢葉一兩 貝母一兩

次用人參六君子湯出局方 四物湯加

黃蓮一錢 山梔仁八分 香附一錢

臨睡與硃砂安神丸治之半月稍愈三月

後遂得起床

一富家使女年一十八歲因患傷寒病起三月後勞碌大發熱遂成黃疸卽女勞疸先用枸杞根一把搗汁大酒和服又用四苓湯出局方加半夏一錢木通七分山梔八分

當歸一錢川芎一錢地黃一錢

芍藥一錢香附一錢黃芩一錢

水二鍾薑三片食後煎服數貼卽愈

一女子年八歲患荔枝鼻至十五歲諸藥不効

先用搽藥方菖茹散又用煎藥出時先生方

薑三片煎服又用洗面藥出袖珍方

右爲粗末分作十貼每貼用水三升煎五

七沸去柤早晚洗面二次

又用何首烏丸出丹溪方

何首烏五斤 生地黄一斤 白蜜二斤 大酒

勻和爲丸每日一二次甘草湯下七十丸

服盡卽愈

一婦人年五十六歲得患隔氣半年諸藥不効其詢其故云因夫貴娶妾憂忿成疾又詢其曾服何藥醫者任用理氣之劑多耗元氣以致神思倦怠飲食不進某用生血益元化痰之劑灸

上脘一穴　中脘一穴　下脘一穴

食關二穴

服六味地黃丸出摘玄方煎藥四物湯兼二陳湯加白术　香附　枳實各一錢　蒼术一錢　水二鍾薑三片煎服二十貼遂獲全愈

一婦人年二十七歲得患產後寒熱將一年甚是憔瘦又兼咳嗽將危諸藥不効其以產後勞傷治之灸

大推一穴　肺腧二穴　膏肓二穴

三里 二穴

用調中益氣湯十貼 出試效方 又用和胃白术丸又與雄黃二兩佩之胸前鼻聞其氣則殺勞蟲不一月其患遂愈

一婦人年三十二歲生四胎後十年不生因無子甚是憂悶某詢其故乃因夫不時宿娼偶因經事至大鬧乘時多耗其血遂成白淋小腹冷痛某思脉訣云崩中日久爲白帶漏下

之時骨木枯即子宮虛冷以致不能成胎其與灸暖子宮又明堂鍼灸云鍼則絕產灸之三遍令人生產其取灸

氣海一穴關元一穴中極一穴

氣衝二穴

服何首烏丸出丹溪方連灸三年遂產一子

一婦人年五十三歲因經事不調元氣甚弱得

患氣血俱虛之症其復其脉心經脉甚浮洪
有六止其其婦多勞碌以致傷心心乃一身之
主其心火動經事不期而行倍加虛弱其用
補虛之劑兼神砂丸服之畧可不得全除其
意謂此婦即是血氣不調後用歸珀丸又用
升提理氣煎藥服之即愈其婦精健如舊補
中益氣湯兼二陳湯加五味三十粒
香附炒黑一錢

又服丸藥歸珀丸出摘玄方

當歸二兩 琥珀五錢 香附一斤童便浸三日分作四分一分醋浸一分酒浸一分米泔浸一分鹽水浸各三日炒加

茯苓二兩 澤蘭二兩

右爲末醋糊丸如梧子大空心鹽湯送下

每服百丸

一婦人年二十四歲在室富貴兩全受用甚厚

既嫁翁姑雖富嚴謹慳悋况夫亦年少不能

處事父母亦遊宦其婦憂愁成疾結塊腹中三年服藥不愈其詢其疾久非專服藥可能除其就取灸

上脘一穴 中脘一穴 下脘一穴

隆興二穴

各灸一十四壯後服香砂調中湯出摘玄方 枳實丸出丹溪方 其塊自消遂獲全愈

一婦人年三十歲得患氣瘻之症曉夜不睡半

年不能起床諸藥無效其復其脉似勞碌太過以致虛損又因受大氣一場遂成此疾其用人參六君子湯又服瓊玉膏漸漸安神得睡服藥兩月遂得全愈

人參六君子湯加

茯神二錢 柴胡一錢 升麻三分

木香二分 遠志一錢 神砂五分

黃蓮一錢 半夏一錢 香附一錢

水二鍾薑三片食遠服

一婦人年三十六歲生四胎後三胎將三四箇月即墮其夫因富貴深憂無子甚欲娶妾其婦與其商議無計阻當憂忿太過家事頗繁愈加不能成胎其意謂勞怒傷情内火便動亦能墮胎遂與四製香附丸又調經益氣湯俱出摘玄方加白茯苓一錢川芎一錢香附炒黑一錢黃芩酒炒一錢五分

半年後有胎又服安胎末藥

鼠尾黃芩（二兩醋炙） 白朮（二兩）

右爲末每服二錢紫蘇湯下次年五月遂

生一子

一女子方年六歲父母愛甚不惜飲食元宵恣

意多食糖圓子約及兩箇月將死諸藥不效

無計可治其將追積丸（出摘玄方）漸漸捱下

圓子數十枚白幕包裹仍不曾消不久其患

即愈
一婦人年二十八歲造酒爲生終日忙甚失落
銀挑心一箇一日夜無獲湯水不進況有胎
五箇月其姑憐其爲財痛傷受餓煨米餅二
枚食之一枚停於中脘一月餘不進米粒將
欲命絕遂置衾棺其姑悶其含悲泣訴得患
之情其將追積丸方見前磨辟灌之少停追
下其積青黯色米餅未消患者甦醒就吃茶

湯又與安胎順氣之劑調理遂獲痊安後生一女

一婦人年四十九歲腹中生一龜塊在左邊二十七年如塊轉動疼至將死諸藥不効其與灸

中脘一穴建里二穴承滿二穴

後服蚶殼丸一升出摘玄方至今一十餘年不發其塊並不轉動

一婦人年三十八歲曾產十胎後有孕怕生因服藥墮胎不期惡露去多將死服藥三月止存残命其母九月間去看將猪䐗肺及風菱與食自此病加至次年三月一向諸食不進畧飲米湯况經事不行幾欲命絕其母特訴此情其與調理煎藥二貼二陳湯四物湯加

砂仁　神麯　香附

枳實各一錢

弁阿魏丸出摘玄方其母將藥回歸舉家哀哭先以煎藥一盞撬開患人口灌之當得甦醒又服煎藥二十貼丸藥一升遂得全愈

女醫襍言終

讀女醫雜言

余聞醫家之說有曰寧醫十男子不醫一婦人其所以苦於醫婦人者非徒内外相隔亦由性氣不同之故也惟婦人醫婦人則以己之性氣度人之性氣猶兵家所謂以夷攻夷而無不克者矣余内之表姊曰楊孺人談氏聰明讀書深達於醫經驗既

多爰著女醫雜言一書蓋將大濟乎衆非止仁其一鄉一邑而已若孺人者奚復有前所言之苦哉然則是編之作較之班姬之賦衛夫人之書與朱淑真之詩其用心得失豈不大有可議者耶

鄉進士仝邑朱恩題

重刻女醫雜言跋

祖姑楊孺人以女醫名邑中壽終九十有六生平活人不可以數計余在齠齔目覩其療婦人病應手如脫不稱女中盧扁哉第余聞活人衆者其後必昌孺人之子濂既早亡孫喬復以株連蔽罪死爰室祀遂斬焉豈余聞諸史冊者不足憑乎為之搤腕者久矣邇閒居多暇檢先世遺澤得余大父大邑府君手書有女醫雜言跋

語余竊謂得是編行世則孺人之名將藉是不朽多方搆之弗得有客郭寒江氏持是編授余曰聞足下將先人之業是修請以是書備記室之錄余再拜受命展卷莊讀皆正德庚午前所識庚午後年益高術益神迺無復識而傳之也者其信然乎抑嘗識之而今已覆瓿耶刻是編先嘗鐫諸方板里中先達邵文莊公暨茹少參公華素重名義不侵爲許可題跋中所稱述源

流治驗若指掌良足爲孺人重矣今此板無有存焉者傷哉斬其祀以故其澤易湮也余重濡翰而鐫勒之則孺人之所爲活人者不得食報於子孫尚垂名於世世爲不朽哉萬曆乙酉季春修禊日姪孫脩百拜敬跋

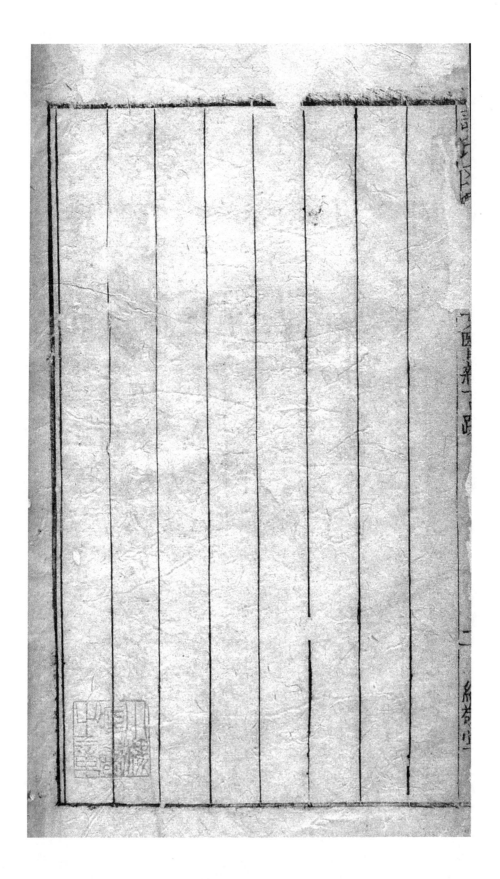

跋女醫雜言

雜言若干則皆吾姊楊孺人所經驗者也孺人聰慧警敏迥出吾兄弟輩為祖母茹太宜人所鍾愛飲食動息必俱所言莫非醫藥孺人能入耳即不忘書得肯綮長復究極諸家秘要而通融用之故在在獲奇效鄉鄙女流得疾者以必延致為喜晚恐

其淪胥而泯乃著是書於戲良醫之功與良相等古有是言以活人之難也泝而上之稱良相者代不數稱良醫者能幾何哉而況於後世乎況於婦人乎是書之出必有識者顧余蕪陋罔測微奧且言不足以信傳要不能輕而重之也雖然可得軒而輕之耶敢贅此以俟

正德辛未四月朔旦京闈壬子舉人劣家
一鳳拜書

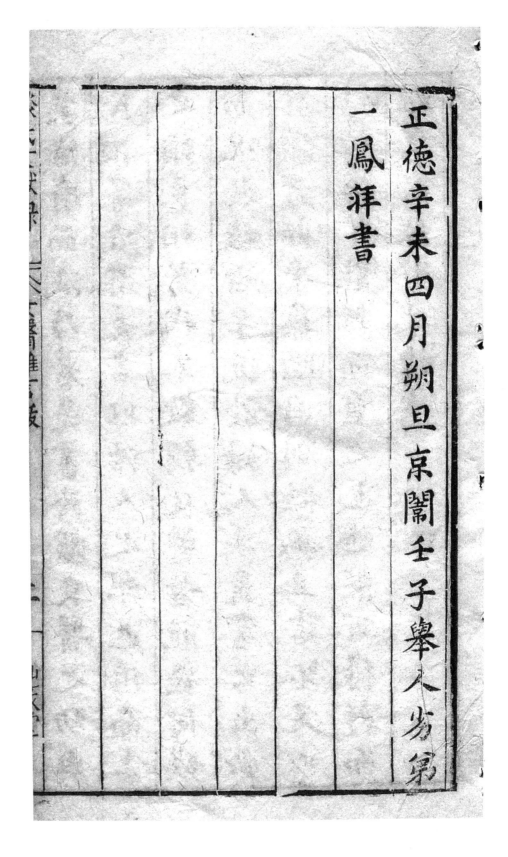